JN049131

A Tale of Thousand Stars

ア テイル オブ サウザンド スターズ

ドラマ場面集

ภูผา วิริยะแนท์

ภูผา วิริยะแมน์

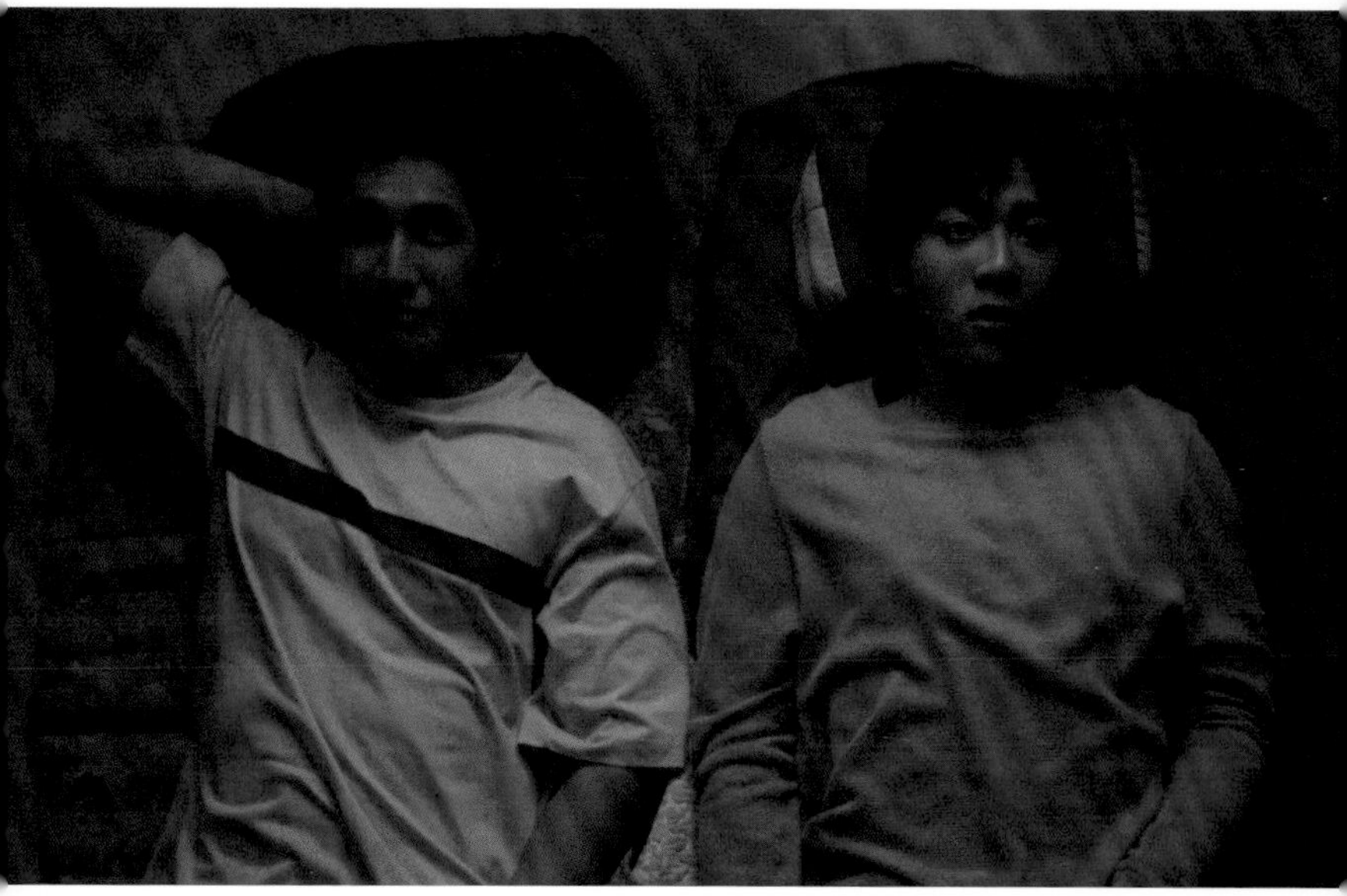

A Tale of Thousand Stars

アテイル オブ
サウザンド スターズ

上

著:Bacteria
訳:イーブン美奈子

目次

００　前夜

星々の間をきらめき漂う無数の願いがもしも一度だけ叶うなら、きっと、永遠に「あの人」の傍にいることだけを願うだろう。


　エンジン音は、大邸宅の表の通りから響いてきた。[1]マセラティの二人乗りスポーツカー、黒のグラントゥーリズモが大理石のステップに寄せて停まる。邸《やしき》の玄関までは広々としたポーチが続く。

　すでに深夜を回っていたが、持ち主のステイタスを誇示する高価な骨董品で飾り立てられた客間からは、クリスタルシャンデリアの柔らかな光が漏れ出している。皺《しわ》になった学生服の中のほっそりとした身体は、酒と煙草のひどい匂いがしていた。彼は、ゴールドの華麗なルイ・ヴィトン製ソファに身を沈めている夫人を見た。

　母親のラリター・ソーパーディッサクンは由緒ある家柄の貴婦人で、元陸軍副司令官を夫に持つ。ラリター夫人を見つめているのは、末の息子、上の子どもたちよりずいぶん遅れてようやくできた子だ。

名前は、ティアン・ソーパーディッサクン。〝哲人〟の意味を持つ素晴らしい名だ。が、この二十歳の青年の今の姿は、値が張るだけのごみ屑に等しい。髪は派手なレッド、肩まで伸ばしたトレンドのスタイルにしている。母親似の甘い顔立ちだが、顔色は母親よりもさらに白い。

そう、白いのだ……まるで病人のように、青白い。

元将官のこの第三子は、裕福な子息という身に似合わぬ痩せこけた手で、綺麗な切れ長の目を覆う髪を鬱陶《うっとう》しそうにかき上げた。

「母さん、また起きてたのかい」

声は、酒に焼けて低い。

「ティアン、あなたを待ってたのよ。どうしてこんなに遅いの」

母親は五十を超えているが、気取ったレースのロングネグリジェ姿はまだとても美しい。立ち上がり、弱々しく痩せ細ってしまった末の子を心配する風に歩み寄る。

ティアンの形良い眉が持ち上がる。薄い唇の端が開き、自嘲《じちょう》めいた笑みが浮かぶ。

「……たまたま今日は、母さんの方が早く帰ったというので心配してくれるんだね、ティアンは遅いんだろうな、なんて。寝てなかったふりなんかしなくていいよ。さあ、もう寝て。僕も疲れてるんだ」

皮肉ではなく、本心だった。誰もが羨《うらや》むような完璧な外面に覆われた人生。内面は、巨大な闇の空洞だというのに。

　ティアンの父親であるティーラユット陸軍大将とラリター夫人は、社会奉仕に熱心だった。日々、絶えず慈善活動に勤《いそ》しんでいた。彼らがばらまいた金銭は一枚たりとも残らず、名声、そして栄誉を称える新聞の紙面写真に換えられた。

　一番上の兄は、陸軍軍人として父親の足跡をたどり、出世している。軍事奨学金を受け、妻を伴い、嬉々として留学先へ向かった。真ん中の姉は、名だたる上流婦人という地位を獲得していた。もちろん、それには結婚だ離婚だというゴシップも付いていて、結婚相手は今までに三人を下らない。それでいて、本人は、社交界で今も意気揚々と華やいでいた。

　それなのに、とティアンは思う。すぐ上の姉から十歳も離れて生まれた自分の自慢といえば、ろくでもないおもちゃの発明品くらいだ。全国一の大学に受かって両親に喜んでもらおうと、死ぬほど勉強したのに、結局、病にかかって親を悲しませている……。

　ティアンは拳を握り締めた。神経が昂《たかぶ》ると、胸に十トンもの重石を押しつけられたような痛みを覚える。

　ティアンは肺へ息を大きく吸い込み、日に日に重度と頻度が増しつつある胸部の刺すような痛みを追い払い、すらりと上背のある体で、何でもないような風を装った。

　さっきの嫌味のせいで、母親は泣きそうな顔になりながら、早足で階段を上がっていった。

　ラリター夫人は、途中で振り返り真っ赤な目をしながら、息子を見る。あんなに明るく少年らしいやんちゃをしていた子が、たった二年でここまで変わってしまうなんて。

あの〝悪い報せ〟があってから、ティアンは内に籠ってしまった。世界に背を向け、人生の一切を放棄してしまった。母親としてそれはこの上なくやり切れないことだった。

「どうしてそんなに自分を傷つけるの、ティアン」

ラリター夫人は、後から階段を上ってきた息子にそう詰め寄り、骨ばった細い手首を掴んだ。

ティアンがさっと仰ぎ見る。青白くやつれた顔が歪んでいる。まるで世界という世界が崩壊してしまったかのように。

「母さんは、僕にどうしてほしいというの？　笑い飛ばせとでもいうのかい。僕には到底無理だ。もうすぐ死ぬと分かっていて、どうやって笑えというんだ」

「死ぬと決まった病気じゃないのよ。必ず治るわ、信じて」

甘やかな声が震える。ラリター夫人は自分が嘘をついていると知っている。国内外の最高の腕を持つ医師でさえ、この病気が治ると断言してはいないのだ。

そうなのだ。ティアン・ソーパーディッサクン、財宝の上に生まれ落ち、明るい未来の待っているはずのこの工学部学生は、もうすぐ死ぬ。

あれは大学一年の頃だった。期末試験を終え、ティアンは気晴らしに仲間たちと大学の運動場でサッカーをしていた。試合中、自分が異常に疲れやすくなっているのに気づいた。冷たい汗が顔を流れ、呼吸が苦しくなった。動悸がして、胸が強く締めつけられたように鋭く痛み、そして遂に気を失った。

あの出来事が人生最悪の分岐点になったなんて、誰が予測できただろう。

幼少期のインフルエンザ[2]によるウイルスのせいで、今になってティアンの〝心筋〟が〝炎症〟を起こした。そのため心膜が厚くなり、身体を維持する血液を送り出すのに十分な伸縮性がなくなり、手術をしなければ心不全に陥る可能性があるとのことだった。

心臓移植……。

しかし、組織が適合するドナーからこの臓器が見つかる可能性は、一度死んで生まれ変わるよりも低い。

二年以上が過ぎ、希望は消え失せた。金の威力でティアンの名前は提供待ちリストの最上位に上げられたが、生きる力に満ち溢れていた当時十八歳の青年は、不公平なこの世界を恨む憎しみにまみれた青年に変わってしまった。

ティアンは、かつてなかった投げやりな生活をするようになった。飲酒、ドラッグ、女。上流階級のドラ息子たちの暴走集団に入って騒ぎを起こし、悪党のレッテルを貼られたが、本人はほくそ笑むだけだった。

……こっちは不幸なんだ。他人も不幸になればいい。

昔は澄んでいた目を赤くして、彼は言い放つ。

「母さん、もう僕のことは放っておいてくれ」

掴まれていた手首を強引に振り払う。レースのネグリジェの中の豊満な体はバランスを崩し、階段をばたばたと落ちる。ラリター夫人は、痛みで声を上げながら、捻った足首をかばう。

ティアンは慌てて下りていき、母親に飛びつくようにして支える。

「母さん！　母さん大丈夫かい……」

襲いかかる後悔の念が心臓を締めつけ、異常なリズムを刻む。胸の鋭い痛みは腕の神経にまで達し始めているが、気にしてはいられない。

先に寝室に入っていたティーラユットは、騒がしさの連続に真夜中の眠りを妨げられ、何事かと飛び出してくる。そこで見たのは、末の息子が床で母親を抱きしめて泣きながら介抱している姿だった。

「父さん、助けて！　母さんが階段から落ちたんだ。脚を怪我したんだ」

ティアンは叫び、階段の上で驚いて立ち尽くしている父親を呼ぶ。

しかし、この退役軍人を驚愕させたのは妻が階段から落ちたことではなく、息子の真っ青な顔色だった。チアノーゼになりかかり、母親の二の腕を支えている手が硬直している。どんな恐ろしい痛みをこらえてこんな大声を出したというのか。

ティーラユットは素早かった。部屋に飛び入って電話をかけ、救急車を呼んだ。

今度は逆に、ラリター夫人の方が息子を抱かなければならなかった。というのも、痩せた体が突然崩れ落ちるように力を失ったからだ。母親の心は砕けそうになる。ティアンは猛烈な苦痛に顔を歪めたまま、静かに瞼を閉ざしていく。瘦せ細った手は自分の学生服の左胸をぐっと握りしめている。

気を失う前の最後の言葉は、耳元を囁《ささや》く啜り泣き交じりの真心の声だった。

……さよなら、母さん。

01　奇跡

この世界にあるのは、金と権力だけじゃない。おそらく、〝奇跡〟と呼べるものも存在するのだろう。元陸軍副司令官の末の息子、ティアン・ソーパーディッサクンは心不全で病院へ搬送され、救急隊員による救命措置は成功したものの、医師団の見解によると、彼の心筋は機能を完全に停止する時が近づいているとのことだった。原因は、患者自身が療養を怠ったためだ。助ける方法は一つだけ、手術で心臓移植する以外にない。

病院はタイ赤十字社に緊急連絡した。そしてなんと、信じられないことが起こった。臓器提供センターから、たった今あるドナーが交通事故で亡くなり、まだ一時間も経過していないという報告があったのだ。検査の結果、血液型と臓器の組織は、二年前に移植待ち登録をしていた男子学生、つまりティアンのものにぴったり一致することが判明した。

人工呼吸器で弱々しい息をしているティアンの緊急手術が準備されていく。ラリター夫人とティーラユットは心配しながら手術室の前で待ち続けた。もう一人、ティアンの姉のピムプラパーが、化粧の浮きかけた顔で不機嫌そうにしている。内心では、この手のかかる弟をかなり心配しているのだが。

「オペが終わるのはまだ何時間も先よ。思うんだけど、父さんと母さんはラウンジで待っていたら？　誰かが呼びに来てくれるわよ」

ピムプラパーが提案する。自分も洗顔などして休みたいのだ。

「まあ、ピム、どうしてそんなことが言えるの。弟の大手術なのよ。生きるか死ぬかの瀬戸際なのに」

ラリター夫人は、顔を上げて第二子である娘に反対した。

ピムプラパーは不満げに唇の端を曲げ、使用中の手術室を覗き込むように美しく丸い瞳を向けた。十も歳が離れているので、彼女は末の弟とそれほど親しくはなかった。

心配する気持ちをどう表現していいのか分からなかった。それで、ピムプラパーは顔を合わせれば、日を追って道を外れていくティアンの品行を責め、仕舞には必ず喧嘩になってしまっていた。

「母さんの好きにすればいいわ。私は失礼するわね。横になって待つことにする」

言い終わるが早いか、彼女は母親が凝視してくるのも構わず、外へ出た。

それから、五時間。二人は心が絞られるような気持ちで待ち続け、へとへとになった頃、ようやく手術室の扉に人影が歩いてくる気配を感じた。夫妻はベンチから飛び上がり、扉の前に立つ。

数分後、執刀医が助手らと歩み出てきた。不安な気持ちで待っていた家族に彼らは微笑みかける。

「ご心配は要りません。手術は成功しました。これから[3]ＩＣＵに入っていただき、五日から七日ほど様子を見ます。監視して感染を予防しなければなりませんから」

「それは、つまり、息子の病気は治ったということですね？」

ラリター夫人は、死が息子を連れていくことはなかったのだと、嬉しくて涙が溢れる。

「ご子息次第です。生き続けるという気力がとても大切なのです。これからご子息には、免疫抑制剤を一生涯きっちり飲み続けてもらわなければなりません。そうしないと、新しい心臓への拒絶反応を防ぐことはできません。病気にかかりやすくもなります。ですから、たとえご子息が通常の生活に戻られても、普通の人よりずっと身体を労《いたわ》らなければならないんです」

著名な医師は、心臓移植患者の今後の生活について大まかな助言をした。

……命を存続させることは困難ではない。けれども、容易でもない。

ラリター夫人は黙ってしまった。息子のこれまでの行動からして、新しく受け取った彼の命をあとどれだけ長く延ばせるか、確信が持てなかった。

それでも、彼女は希望を持つ。ティアンがこのチャンスを最大限に活かしてくれると。この世でもう息をすることのない〝ドナー〟の代わりに……。

……これほど深く長い眠りに就いたことはなかった。時に覚醒の予感はあるのだが、そうすると、まるで眠りを命じる誰かがやって来るかのようなのだ。

淡いブラウンの瞳がゆっくりと開く。鼻先を覆う透明のマスクの向こうの広がりを眺める。長く延びたコード。それに繋がっているものは、ベッド脇を覆い尽くす医療機器だ。たとえ、今、甦生したばかりの人間にだって、ここがどこなのかすぐに分かる。手首は、生理食塩水と血液の点滴袋に繋がれてもいた。病院のベッドに横たわっていたティアンは、長いこと使っていなかった手を少しずつ動かしてみる。

そうか、地獄って、病院みたいなところだったんだな……。

その時、ティアンの全神経がはっと目覚めた。

病院……生きてたんだ！

バイタルのモニタリング装置が異常に音を立てたので、ＩＣＵの当直看護師が気づき、急いで担当医師に連絡した。医師が部屋に走り込んできて、熟練した手つきで患者の状態を確認する。

「ティアンさん。慌てないで、ゆっくり、息を吸って吐いて下さいね」

患者がびっくりして過呼吸になることがないよう、若い女性看護師が呼吸のリズムをカウントしてみせた。

ティアンはその通りにやってみようとする。が、ひどく困難だった。なにしろ、胸板の下の

〝心臓〟が身体の一部ではないかのように、ぶるぶると震えているのだ。

しばらくして、投与されていた薬の力で全てが収まった。ティアンは激しい運動をしたばかりのように疲れ切って息をついた。

「何があったんです？　僕の記憶では……」

口から出る低い声がかれ切っていて、ティアンは我ながら驚いてしまう。

「心臓の移植を受けられたんですよ。でも、心配なさらないでね。全てうまくいきました。しばらくは安静にしましょうね」

白衣の女性が微笑んで元気づけ、ちょうど入ってきた医師と助手らに容体の報告を始めた。

びっくりして口もきけない患者を放ったまま。

切れ長の目がゆっくりと胸の方へ流れる。それは、自らの驚きの呼吸に合わせて上下に動いている。

ドク、ドク……。

身体の隅々へ血液を送り出す臓器。その収縮する音が大きく聞こえたような気がした。

悪寒がすうっと降りてきて指の先まで完全に麻痺してしまう。彼は理解する。

〝それ〟が自分の〝心臓〟ではないということを。

臓器移植の場合、傷口に細菌感染がないこと、患者の身体が新しい臓器と適合したことの確実な診断を医師が下した後、患者の自宅療養が許可される。その後も検査の予約が入れられ、必ず訪れなければならない。

手術から三週間程が経ち、ティアンは現在の身体の一部が自分のものではないことを努めて忘れようとした。〝それ〟がかつて誰のものだったのかという疑問は脳裏をかすめたが、ティアンは相手の情報を開示することはできないという臓器提供の規則もよく知っていた。互いの利益を主張した訴訟を防ぐための規則である。

ティアンは水色の患者服に身を包み、広く開かれた窓の外をぼんやりと眺めた。朝の新鮮な空気が入ってくる。白い肌は淡い日光を浴び、以前のように恐ろしげなものには見えなかった。血色は良く、この〝心臓〟が新しい所有者のためにどれだけ働いてくれているかをよく物語っていた。

ティアンは現在の自分の手を眺めてみた。もうガリガリの骸骨ではない。それは病院のしっかりした栄養管理によって、そして、彼自身が飲酒とドラッグという自傷をやめたことによって、少しずつ改善されていた。

実はティアンは、執刀医の呟きをひそかに聞いていた。……ラッキーだったよ、彼の健康状態が臓器移植の最低ラインをぎりぎりクリアしてくれてね。先延ばしになったら、オペのリスクはぐんと跳ね上がってたところだ。

ＶＩＰ用の病室を見回す美しい目の底には、寂寥《せきりょう》が宿っている。病室には、同じ学科の友達や学部の教授から贈られた素晴らしい物が溢れている。それなのに、誰一人、顔を見せにすら来ない。それでも、ティアンは自分の方から誰かに電話しようとは思わなかった。〝悪い報せ〟を受けて以来、親しかった友人たちに背を向けたのは他ならぬ彼自身なのだ。彼らの未来ある人生が妬ましくて仕方なかったのだ。

それで、あの高級改造車の暴走軍団といえばどうだ？　嘲笑するように薄い唇の端を上げる。集まっていた奴らは、単に社会に反発したかっただけだ。そんな奴らが揃って去ったからといって、驚きもしない。それにティアンの方も、近所迷惑をやるような力は残っていないのだから、用済みなのはお互い様というわけだ。

ティアンは、壁掛け時計の針に目をやり、おかしいなと眉間に皺《しわ》を寄せた。約束の時間が過ぎているじゃないか。母さんは主治医の先生とちょっと話してくると言っていただけなのに。自分の身体に何か異状があって、今日は帰宅させてもらえないんじゃないか、と不安になってくる。

病室の扉の向こうから、ひそひそと話し合う声が聞こえてきて、好奇心からベッドをにじり下りた。無理をして重い体で点滴台を引きずっていく。ティアンはドアノブをゆっくりと動かし、扉をほんの少しだけ開いて立ち聞きした。

年配の医師が夫妻の頼み事に困り果てた顔をしながら、規範通りの回答を繰り返している。

「本当に申し上げられないのです。もし赤十字にお尋ねになっても、同じことです」

「クリット先生、でも私たち、そのドナーの方に心からお礼がしたいだけなんです」

ラリター夫人がねだるように言う。相手が見返りを求めぬ偽りのない心で臓器提供したのだと分かっても、それでもお礼がしたい。そして、ほんの気持ちばかりの金銭をドナーの家族に渡し、今回の命への施しがどれほど偉大なことだったのかを彼らに伝えたいのだ。

その頼み事を聞いていた医師は、大きくため息をついた。彼はティーラユット陸軍大将とラリター夫人の意図を理解しているが、それでもどうしようもないのだった。

「こうしましょう。私の方からは、ドナー登録の受付団体の名前をお教えします。その後、あなた方がどのような手段をお使いになっても、それはその時です」

遂にクリット医師は折れ、「こちらへ」と案内するように手で示し、この権威ある家族を再び診察室へ連れて行った。

〝ドナー〟だって？　心臓が一瞬異様に跳ねた気がして、手が自身の左胸へ伸びる。ティアンは扉の隙間を覗く。若い看護師二人が立ち話をしている。

「あなた、クリット先生の助手でしょ。ドナーが誰なのか知ってるの？」

看護師の一人が、脇に立った同僚に尋ねる。

「知らないわよ。先生の書類ったら、そりゃあもう極秘なの。でも、臓器を届けに来た赤十字の人が言ってたんだけど、このケース、事故のドナーなんですって。ティーラユットさんの息子さんが心臓麻痺で病院に運ばれたのと同じ日に、車にはねられたらしいわよ」

ティアンは、粘つく唾液をやっとのことで呑み込んだ。じっとりした汗が額全体に噴き出す。彼はどきどきする気持ちを抑えつけた。この新しい心臓に無理をさせないように。この時の彼は、事実を知るべきか知らないでおくべきかなんて全く考えてもいなかった。

それなのに、まるで何かに、〝知るべきでない〟ことを〝知りたい〟と思わされているかのような気分だった。

ソーパーディッサクン家の邸宅は、都心の高級住宅地にいつもの姿で聳《そび》えている。久々の帰宅に、我が家はなんて素晴らしいんだろうとつくづく眺めてしまう。美しい庭園に取り囲まれた豪邸。ティアンは不思議なほどの高揚と幸福を感じた。もうこの世界から去るものだと決めつけていたのに、再びこの場所を踏むことができるなんて。

在宅ケアのために特別に雇われた看護師が、ティアンの細い身体を支えながら高級車を降り、車椅子に移した。まだすっかり丈夫になったとはいえない。そして、ティアンの身の回りの物も一階のゲスト用ベッドルームに降ろされていた。

今、両親は、ティアンの休学の手続きをしている。医師の言によると、通常の生活に復帰するまで数カ月の療養が必要だとのことだった。これを聞いて、ティアンは関係ないというように肩を軽くすくめた。他人より卒業が遅れたところで、生きられるということに変わりはないのだ。

ラリター夫人が息子の仮の寝室に入り、問題ないか確認した後で、ベッドの脇に座った。彼女は、息子の柔らかな髪に覆われた綺麗な卵形の頭を撫でた。髪は長く伸び、赤く染めた部分と天然の茶色でまだらになっていた。

「後で、いつもの美容師さんを呼んでカットしてもらうわね。そうすれば元のハンサムさんに戻るわ」

末の息子が明るく生き生きした顔をしているのを見て、最高の幸せというように微笑んだ。

ティアンは頷きながら、母親の顔をじっと見つめた。突然、羞恥心で目頭が熱くなった。これまで運命を恨み、呪い、そのせいで自分を最も愛してくれていた人の心をどれだけ傷つけていたのだろう。

「母さん……」

ティアンは、世界で一番温かいふっくらとした手を包み込んだ。

「……僕のこと怒ってるかい？」

ラリター夫人は優しい笑みを広げた。

「母さんはね、逆に自分の方を怒ってるわ。もし、あなたが病気がちなことに気づいてあげていたら、もっと早く発見して治療できていたのに」

「心筋のウイルスはインフルエンザのせいだよ。発見できたとしても治せなかったんだ」

ティアンは、誰のせいでもないんだ、というように話す。

「でも嬉しいわ。悪いことは終わったのよ。これからは健康に気をつけるのよ。良くないことは、全部やめてね」

　ラリター夫人は、一、二年前からの喫煙、酒にドラッグ、そして頻繁に留置場に放り込まれたことを言っているのだ。

「分かってるよ」

　ティアンは煩わしそうに返事した。あのひどい過去については考えたくもない。その時、あることを思い出した。

（ドナーのこと……）

　だが、尋ねようと口を開いた時、言葉は喉のところで止まってしまう。

「なあに？」ティアンが急に黙ってしまったので、母親は首を傾げた。

　ティアンは唇を固く閉ざし、返事の代わりに首を横に振った。

「何でもない。母さん、もう休んで。ちょっと眠るよ。この薬を飲むと必ず眠くなるんだ」

　話を変え、すぐに体を横たえた。

「ええ、休んで。起きたら、お粥を作らせるわね」

　ラリター夫人は息子の布団を直し、病人がゆっくり休めるよう静かに部屋を出た。

　扉の閉まる音が聞こえてから、ティアンは目をぱっちりと開け、眉を寄せる。自分の口を叩きたい気分だった。危うく、尋ねるべきでないことを尋ねそうになっていたではないか。

この心臓の持ち主が誰だったのか永遠に知ることがなくても、彼の人生が続けられないわけではない。

けれど、もし、知ってしまったら……。

全てが今までとは変わってしまうのではないだろうか。


ティアンが自宅療養に入ってからひと月以上が過ぎた。栄養士と理学療法士による正しいケアを受け、身体が前よりずっと健康になったと感じている。透明な汗が髪の生え際を伝《つた》っていく。髪は短くカットされ、すっきりと透明感のある顔をあらわにしている。まるで新人生に戻ったかのようだ。

スポーツウェアですらりと細い身体を包み、ルームランナーの上を半時間強、熱心に早歩きしたり、少しずつ走ったりした。以前だったら、十分も力を使えば倒れそうになっていたものだった。

エアコンが涼しく効いたガラス張りの部屋。以前はＤＶＤとビデオゲームで埋め尽くされていたが、一時的なミニ・フィットネスに様変わりしている。新品のトレーニングマシン各種が部屋中に置かれていて、ドアを開けて入ってきた知人が目を見張った。

スクエア型フレームの眼鏡をかけた端整な顔立ちの青年。ゲームにも飽きたんだなというように首を振って思う。まあ、ソーパーディィッサクン一族だからな……。彼はルームランナーの時間表示パネルの後ろから顔を突き出し、大音量で音楽を聴いていたティアンのイヤホンを片方引き抜いた。

「運動は一日半時間まで、とここに書いてある」

彼は、療養中の患者の運動スケジュール表をひらひら振ってみせる。

「テー兄さん……」

ティアンは驚いて眉を上げた。テーチンが現れたのは意外だった。彼は医学生で、ティアンと同じ大学の最上級生である。また、父の親友である参謀長の息子でもあり、旧知の間柄だった。

テーチンは手を伸ばして操作パネルの停止ボタンを押す。

「過度に運動したからといって、一日二日で強くなれるわけじゃない。その上、移植したばかりの心臓に不相応の負担をかけることになる」

ティアンは肩を軽くすくめた。やめろと言うなら、やめてもいい。首に巻いていたタオルを取って顔の汗を拭いた。

「ティアンを見舞ってやれと母さんに命令でもされたのかい？」

本当の兄や姉と比べ、テーチンは彼とそれほど齢が変わらなかったから、子どもの頃から、母親はよくテーチンに世話を頼んでいたのだ。

「何言ってるんだ。お母さまに言われなくても、ティアンを見舞うのは当然じゃないか」

テーチンは地方の病院で研修をしていて、バンコクになかなか戻れなかったということだった。

「テー兄さんは何日こっちにいるんだい？　明日、外に連れ出してくれよ。家に籠ってばかりで飽き飽きしてたんだ」

いつもなら、本当の兄でないこの人に頼み事をしようなんて思わなかった。だが、母親の絶大な信頼と称賛を集めているこの優秀な医学生〝テーチン〟でなくして、誰がティアンを外の世界に踏み出させる許しを請うことができるだろう。実際、何の病気を持ち帰ってしまうか分からないのだから。

「当番を交代してもらったから、何日かは休めるよ。よし、お母さまに頼んであげよう」

若き医学生は、親切にそう言った。それにしても……、テーチンはひそかに思った。ティアンがこんな正常な精神状態に戻るまでの時間がどんなに長かったか。今、目の前にいる彼とは、この二年もの間、一分と続けて話せたことがなかったのだ。切れ長の美しい目はいつでも人生を捨て去るつもりの闇にまみれていた。

「ところで、テー兄さんは一人で来たわけ？」

ティアンは瓶の栓を抜いて水を口へ注ぎ込み、返事に耳を傾けた。

「いや。父さんと来たんだ。大切な書類を渡さなきゃならない、って」

「何の書類だい？」

　テーチンは首を大きく横に振り、訝《いぶか》しそうに眉を寄せた。

「知らないけど……どうして知りたいんだ」

「ただ訊いてみただけさ」

　ティアンは関心がないふりをした。だが、テーチンの父であるピターン大佐が何の用で訪れたか想像するのは難しくなかった。というのも、自分たち家族に何か問題が起こると往々にしてピターン大佐が現れ、解決してくれていたからだ。ティアンの保釈のために、一年に十回も警察署へ行くという勤めさえ果たしてくれた。

「じゃあ、僕はシャワーを浴びて着替えてくるよ。それから話そう」

　頭の切れるテーチンが何かを察知する前に急いで話題を変えた。

「ああ、オレもお前と話したいよ。庭のサーラー（タイ式の東屋）で会おう」

　さっさと立ち去るティアンに、未来の医者は大声で呼びかけたが、分かったよというように手を挙げた合図が返ってきただけだった。


　端整な容貌と礼儀正しい物言いのテーチンが苦心してラリター夫人を説得してくれたおかげで、翌日、ティアンは自由を獲得、自宅に戻ってきてから初めて外へ出ることになった。ティアンは愛用のディーゼルのジーンズを穿き、だぼだぼの派手なプリントTシャツを着て、機嫌良く濃いブラウンの短髪をジェルでセットした。

母親似の甘く端整な卵形の顔は血色も良く、どれほど健康になったのかが分かる。薄い唇の端を上げて鏡の中の自分自身に微笑みかける。……思いがけず降ってきた新しい人生だ。

ノックの音で、約束の相手が来たのだと分かり、リュックを掴んで肩にかける。テーチンは扉を開け、親しげに入って来て即座に口を開く。

「準備はできた？　ほら行くぞ。早くしないとお母さまの気が変わるからな」

「ばっちりだよ。行こう」

ティアンはこの医者代わりの男に飛びついて腕を掴み、背中を押して急いで部屋を出た。家から出られなくなったらかなわない。

ティアンは、助手席に座る。テーチンは都心の高級デパートでランチをさせてくれるという。デパートに着くなりティアンは、洋服や靴のブランドショップを覗いては、クレジットカードで買い物した。

ヴァンズのスニーカーは、白と赤のレザー入りがクールだ。アルマーニの限定エディションのベルトも欲しい。

馬鹿高い買物袋の荷物持ちとなり、テーチンは疲れたよというように首を振る。ティアンはフェラガモのショップに飛び込み、ブラウン系のサングラスを試しているが、童顔に似合いそうだ。テーチンの方を振り向き、意見を求める。

「どう？　テー兄さん」

テーチンは内心微笑んだ。まるでお嬢様のショッピングのお供をしている下僕みたいだ。お嬢様はブルジョアで、下僕にこうも尋ねてくれる。……何か欲しいものはあるかい、と。

「いいね」

医者代わりは、返事として親指を立てた。

ティアンは店員の方へ即座に「買うよ」のサインを送る。

「テー兄さん、本当に何も要らないんだな？　こんなすぐに僕を家から出してくれたのにさ」

彼は冗談めかして言った。

テーチンは軽く笑った。

「要らないよ。オレは定期市の安物でも構わないから」

そう言うと、綺麗な切れ長の瞳が軽く睨んでくる。

「それ、皮肉か？　でも何でも好きなもの言ってよ。僕は構わないからさ。まあ、金持ちだから」

富豪の青年は、挑発的に肩をすくめた。

「金持ちなのは知ってるって」

荷物持ち係は、彼の栄誉を称えてから買物袋を振ってみせた。

「だけど、ブランドショップへの募金はもういいよ。代わりに今度、恵まれない子どもたちへのタムブン（善行をして徳を積む仏教上の行為のこと）に連れてってやるよ。その方がいい」

「お金だったら振り込むよ。ああいうところは暑いだろ。自分で行く奴らの気が知れない」

そう言いながらティアンはペンを取り、クレジットカードの伝票にサインする。金額は二万バーツ（日本円で約六万六千円）近い。

テーチンは少しがっかりしてこの元将官の息子を見た。だが、本人を責める気はない。なにしろ、小さい時から好き勝手が許されて育ってきたのだ。

「楽してどんな徳が積めるっていうんだ？」

「積まなくっても別にいいんだよ」

ティアンは顔を上げ、高慢な言い方をした。

「テー兄さん、もういいよ。こんな話は無意味だ。そもそも僕は、仏教の罪だ恩だ悪だという話は信じてないんだって」

それに、他人のために何かをしたり何かを犠牲にしたりすることのどこが幸せなのか、理解もできない。

テーチンは、負けたよというように手を挙げ、話を変える。

「腹が減らないかい？　食べたいものはある？」

「日本料理」

「オーケー、じゃあ、いつもの店だ。ここはオレの奢りでね。ただ、先に四階に寄らせてくれ。頼んでいた本を店で受け取るから」

ティアンは素直に肯いた。食事の話をしたら、ひどく空腹を感じたからだ。大型書店に着き、今度はティアンが自分のショッピング袋を持つ羽目になった。諦めて荷物の一部を下に置き、近くのラックにあった雑誌を眺めながら待った。

ティアンは何ということもなく、ラックに目を走らせる。その時、上流階級と芸能界の有名人ゴシップを集めた雑誌に目が吸い寄せられた。大きく掲げられた見出しは、全国に支店を持つ金製品売買店オーナーの息子の事故に関するものだった。二カ月前、車を運転していて人を轢《ひ》き、不運にも死なせてしまったという。警察への賄賂があり、金の力で揉み消されているらしい。

写真が載っているが、犯人の顔はぼやけて不鮮明だ。それを故意に社会の人々に見せつけている。ティアンは慌ただしく中を開いた。内容を読むにつれ、顔が青ざめていく。汗が額全体から噴き出す。そして……心臓が声なき叫びのごとくに震えた。

大きな手に肩をぽんと叩かれ、ティアンは飛び上がった。弟同然の人間が紙みたいに白い顔をしているのを見て、テーチンはぎゅっと眉を寄せる。

「どこか変なのか？　それとも、たくさん歩いて疲れたのか？　飲み忘れた薬はないよな？」

未来の医者が、心配して矢継ぎ早に尋ねる。

ティアンは、呆然と立ち尽くしていたが、なんとか自分の口を開き、言葉にした。

「……敵の襲撃だ、ちょっとトイレに行ってくる」

相手の返事も待たず、彼は手の中の雑誌を戻し、素早い動作で消えていった。

一番近くのトイレに飛び込み、すぐさまドアをロックする。携帯電話を取り出し、友達のリストを必死にスクロールする。暴走仲間の中では比較的親しかった一人の番号を押す。

すぐに、聞き慣れたハスキーボイスが応じる。

「トゥンか。オレ、ティアンだけどさ」

「おう。何だよ。もう治ったのか？　見舞いに行けなくて……悪かったな。親父に外国送りにされてたな。ちょうど三日前にタイに戻ったところよ」

「オレなら大丈夫だよ……」

ティアンは一瞬口を閉ざし、思い切って、心に引っかかっていたことを尋ねた。

「回りくどい言い方はやめる。お前、ウィサヌの野郎の事故のこと知ってるか？」

「そりゃ知ってるさ。オレもよ、その道路走ってたわけ。けど、あの不運な野郎みたいに人を轢いたりはしてないぜ」

相手の声は、その日の記憶を反芻しているかのように細くなった。

「……思い出した。お前、あの夜、先に帰ったよな。それでウィサヌが代わりにレースやったんだ。お前、奴に感謝した方がいいぜ。奴が代わってなかったら、お前が人殺しになってたんだからな」

トゥンは、面白がってからかうように言った。それを聞いている者が吐きそうになって便器に倒れ込んでいることも知らずに。ばらばらのジグソーパズルが徐々に形を成していく……。

ティアンは、どくどくと破裂しそうに脈打つこめかみを揉みほぐした。

「この件、相手について調べてるんだが、どこで分かる」

「何だって？」

相手は訝しげに訊いた。

「なぜ、知りたい？」

「ちょっとした訳があってね。手伝おうと思わないか？」

トゥンが闇の噂に詳しいことは承知していた。グレーゾーンの業界にツテや仲間が多いのだ。家族のやっているナイトクラブや違法カジノとつながりがあるからだ。

「いいさ。お前、よくオレの女たちがバッティングしないように協力してくれたもんな。タダでいいぜ。交換条件はなしだ。明日までに分かる。オレが保証する」

「恩に着るよ」

友との電話を切った後、ティアンは頭をかきむしった。なんて愚かな決断をしてしまったんだ。……事実を知って、どうするっていうんだ！

答えは沈黙だった。ただ、心臓だけがドク、ドク……と音を立てた。

早くして！　と。

02　出会い

ナイトクラブ王の息子、トゥンの手下の仕事はいつも素早かった。ティアンは終日、今か今かと待ち構えていたが、果たして深夜に差しかかる頃、一通のメールが届いた。携帯電話を掴み取り、はやる心でそれを開く。文面は多くはない。が、あの日の事故に関するものだった。

「ポルシェのボクスターS、シルバー。ラチャダーピセーク通り刑事裁判所前のカーブを曲がり切れず、歩道上の若い女性に衝突、即死させた。運転者の氏名はミスター・ウィサヌ・ポンルアンローン、ヤワラート地区の有名金製品売買店オーナーであるチャーンチャイ氏の末男。死亡者の氏名はミス・トーファン・チャルーンポン、二十三歳、住所……」

ここまで読み終えた時、左胸の臓器が強く締めつけられた。体を丸め、痛みを抑える。ティアンはベッドのサイドテーブルに手を伸ばし、薬を並べたトレイを掴み、口へ放り込んでから水をがぶりと飲んだ。

ティアンは蹲《うずくま》り、しばらくの間、汗の流れるままに任せた。飲んだ薬が効き始め、痛みがやわらいでいく。

あれこれ考え事に没頭していたせいで、新しい臓器の免疫抑制剤を飲むのをすっかり忘れていたのだ。心臓が正常なリズムを取り戻し、長い息を吐いた。

ティアンは暗闇の中へ視線を巡らせ、思案にふけった。最後の証拠が欲しかった。それがもし、想像していた通りのものでなければ、この件は終わりにし、今後は一切事実を探らないと彼は決心した。

心を決め、ティアンはすっと起き上がってそろそろと自室を出た。それから音を立てずにひっそりと二階へ向かった。右側の廊下の突き当たりにある父親の書斎の扉をゆっくり少しずつ開け、さっと入り込む。

ティアンは、携帯電話の懐中電灯機能をつけ、室内を照らした。父親が重要な書類をデスクの鍵付きの引き出しにしまっていることは知っていたのだ。

そして、鍵がどこに隠されているのかもティアンは知っていた。というのも、子どもの頃、よくこの部屋にこっそり侵入して遊んでいたからだ。

シェルフに置かれた、仏像に捧げる花飾りのための脚つき盆を持ち上げると、予想通り三、四個の鍵があった。ティアンは身をかがめ、全ての鍵を差し込んで、引き出しを開けようと試みた。そして、カチッと音が鳴るのを聞いた。

ティアンはにんまりとして、探しているものを収めていそうな封筒を全て開いてみた。が、自らが望むものは何も見当たらない。

思い通りにならず、ティアンは眉をひそめた。あるいは、父親はここには隠していないのかもしれない。が、部屋じゅうひっくり返すのは無理だ。夜が明けても終わるわけがない。

考えていたように真実を暴くことはできないかもしれず、ティアンはしばらくぼんやり座り込んでいた。意を決して立ち上がろうとした時、胸部の下に突然の痛みを覚え、崩れ落ちた。

その時、懐中電灯と化した携帯電話が、紙の束の散らかった机の上に落ち、フラッシュライトの白色光が一枚の文書を照らし出した。それは「極秘」と赤で捺印されていた。

父親が注意を欠いたのか、片付けを忘れたのかは知らない。が、運命はティアンに味方した。

粘つく唾液を呑み込み、その文書を拾い上げて読んだ。

……ドナー登録者名簿。

「ミス・トーファン・チャルーンポン」

嘘だろう！

手で自分の口を押さえた。吐き気が込み上げ、嘔吐してしまいたいのをこらえ、ティアンは携帯電話で素早くこれらの証拠を写真に撮った。それから、誰かに見つかる前に、よろよろと父親の書斎を出た。

証拠を調べて、もしそれが想像通りでなければ、〝終わり〟にしよう……。自分でそう決めていた。

だが、考えていなかったのだ。それが〝イエス〟だったら？　ということを。

一体、これから、どうしたらいいのだ？

それから数日、元陸軍副司令官の令息は生彩なく沈み込み、あまり家にいることのないラリター夫人にすら分かるほどになってしまった。見ると、末の息子は悩み果てたように海老入りの粥を匙《さじ》でつついては持て余している。

「あら、美味しくないの？　嫌ならアメリカン・ブレックファーストを作らせるわ」

話しかけられてティアンは顔を上げ、奇妙なものでも見たかのように母親のことをしばらく眺め、首を横に振った。

「そうじゃない、美味いよ」

「そう。だったら、たくさん食べて。そんな風にただ混ぜていたら、冷めちゃうじゃないの」

ティアンは頷き、命令に従うロボットのように粥を口に運んだ。ラリター夫人は大きくため息をついた。息子の気持ちはよく分かる。自由に外出もできず、我慢し切れないに違いない。

「ティアン。外へ行きたいの？」

母親に訊かれ、目を丸くした。ティアンの容体を何よりも心配してくれているのだ。

「行っていいのかい？」

「いいのよ……でも、母さんは、行かせたくはないの。もしも急なことがあったら、どうするの」

その一言で、病人の瞳に浮かんでいた光はすっと消えた。ついさっき、期待に伸びた背は再び枯れたように萎んでしまった。

「そうだと思ったよ」

ティアンは思わず愚痴を漏らした。母親の心配は分かる。それに、自分が二年以上やってきた悪さを思えば、彼は、もう黙って聞くしか仕方なかった。

「……でも、もし外の世界に触れたいというなら、条件が一つ。チャットと同伴であること、よ」

チャットは専属の運転手で、この日は空いていた。

ティアンの整った美しい顔は、水を与えられた花が開くように輝いた。とっさに立ち上がり、母親の気が変わる前にそのふっくらした体に抱きついた。

「ありがとう、母さん」

ラリター夫人はにっこり微笑み、憎たらしいわね、というように腕をつねった。

「ほらもう、ご機嫌取りは結構よ」

「じゃあ、シャワーを浴びてくるよ」

案の定、ティアンは飛び跳ねるように用を足しに行く。甘やかな声がそれを追いかけるように響く。

「そんなに走らないの！　あと、食後の薬は忘れないようにするのよ」

ティアンは自室の扉を引き閉じる。心臓が早鐘のように打つ。サイドテーブルの携帯電話を掴み上げ、あの情報通、トゥンの奴が送ってきたメッセージを読み直す。

「ミス・トーファン・チャルーンポン
住所……ロムサイ小路プラチャーサンティ集落七七／……」

彼は大きく息をつき、思わず手を自分の左胸に当てた。これからすることがどれほど馬鹿げた無意味なことかは分かっていた。

けれども、〝彼女〟の〝心臓〟は、新しい〝持ち主〟である彼の体内に移ってきたのだ。だからその彼女について、少しくらい、知る権利はあるんじゃないのか？

ティアンは、いつものように都心の高級デパートへ出かけた。これまでと違うのは、横を歩いているのが可愛い女の子でも誰でもなく、濃いグレーのかっちりした上下揃いの服に身を包む中年男だということだ。

ティアンは面倒くさそうに身体をもぞもぞさせながら普段通りショッピングをし、母親の付けた監視人を完全に油断させた。そして適当なカフェに入ると、列に並んでチョコレートシェイクのキャラメルトッピング付きを一つオーダーするよう、チャットに命じた。

ティアンは柔らかなソファに身を沈め、ゆったりと足を組んで、年上の運転手に微笑みかける。チャットは、こちらへ注意を払うように振り返っていたが、そのまま、ドリンクの列に並んだ。人は多く、テーブルの上は高級ブランドの大きなショッピング袋で溢れ返り、チャットの視界からティアンの顔を隠してくれた。

……果たして、チャットが好物のチョコレートシェイクを持って戻ってきた時、青年の痩身は影も形もなく消え失せていた。

ティアンは必死に走り、大通りへ出る。左右を見回し、ちょうど入ってきた派手なピンクのタクシーを急いで停めた。運転手に行き先を告げてから五分とおかず、彼の携帯電話はとめどなく着信の音が鳴った。

自宅の番号。チャットの番号。母の携帯番号。そして、もうすでに地方の病院に戻っているテー兄さんの番号……。なんて早い情報伝達だ。ティアンは汗を拭い、即座に電源を切った。携帯電話の電波で、居場所が特定されないとも限らない。

約一時間後。ピンク色のタクシーは、バンコクの渋滞を抜け、ノンタブリー県へ入った。大規模な住宅街があり、家々が押し合うように林立している。ティアンの探している集落は、タウンハウスが多く集まる細い小路の中にあった。もうすっかり暗記してしまった番地を、タクシー運転手に告げて探させる。遂に、四十平米ほどの一軒家が見つかった。それは古さびたコンクリート塀に囲まれていた。

タクシー代として、手間をかけさせたチップ込みで千バーツ（日本円で約三千三百円）を渡し、車から降りた。錆びついたまま手入れされていない鉄の門の前に立つ。

「七七／ｘｘ番地」

……間違いない。ティアンは粘つく唾液を喉へ流し込み、視線を中へ滑らせた。コンクリートと木造が半々の二階建て。無人のような静けさと寂しさを湛えている。

不意に犬の吠える大きな声がした。茶色い毛並みの純タイ種の犬だった。家の裏から一目散に駆け出してきて飛び跳ね、大きな足で鉄柵をよじ登ろうとする。闖入者《ちんにゅうしゃ》であるティアンは思わず恐れをなして退いた。

「こらっ、ミー！　やめな。うるさいったらない」

言うが早いか、家の中からプラスチックのたらいが投げられた。犬の頭をかすめ、鉄の門に衝突して大きな音が鳴り響く。

ティアンは仰天して立ち尽くした。まるで知らない世界に紛れ込んだようだ。踵《きびす》を返して立ち去ろうとしたが遅かった。というのは、ぶかぶかのシャツにサロン（巻きスカート）という姿の中年女性が家から現れたからだ。

「ちょっと、あんた。誰に会いに来たっての？」

脅されるように訊かれ、彼はしばらく口をぱくぱくさせた後、ようやく自分の声を取り戻した。

「僕は……あの……」

「ああでも、ううでもないよ。浄水器を売りに来たんだったら、さっさと別を当たりな。てめえに飯を食わせる金もないってのにさ！」

オバさんという人種だ。喧嘩を売るごとく腰に手をやっている。

「そうじゃありません。僕は……」

ティアンは息を止め、考える間もなく言っていた。

「僕はトーファンさんの後輩なんです」

今度は相手が黙る番だった。五十がらみの女は、トレンドのファッションを纏《まと》ったすらりとしたティアンの身体を、頭のてっぺんからつま先まで舐めるように眺めて言った。

「何の用？　ファンはとっくに焼かれちまったよ。訪ねるんならヌーン寺に行くんだね」

個人的にドナーのことを知っているわけではない。が、そんな敬意のない物言いには死者に代わって怒りたくなってくる。

「おばさんは、トーファンさんの親族なんですか？」

「そうさね。あたしはあの子の本物の伯母さ。あの子の父親は、ろくでもない奴だった。あたしがあの子を引き取って育ててやらなきゃ、今頃あの子はどっかの巣窟《そうくつ》の娼婦にでもなってるよ」

女は一度喋り出すと止まらなくなったように性急に続ける。

「……だけどあの子もあの子さ。未だ恩返しもしちゃくれないくせに、ボランティアとやらへ行っちまった。森だの山だの。山岳民族の学校の先生だと。その上、帰ってきたと思えば、車に轢かれて死んじまう始末さ。まあ幸運だったのは轢いた奴がいい暮らししててさ、ちょっとばかりの金はくれたよ」

ここまで聞き、ティアンは強く眉をひそめた。トーファンの事故の相手方、つまり自分の友人だった人に臭い飯を食わせたくはない。だが、ティアンは心に湧き上がってきた疑問をぶつけずにはいられなかった。

「ちょっとばかりのお金をもらったから、おばさんは、訴訟で白黒つけるのをやめたんですか?」

金でこんな風に人の尊厳を買収できるのならば……。

「何だって!」熟年女は苛立ちをあらわにした。

「あたしだって食ってかなきゃならないんだ。訴訟だって? そんなの金がかかるばかりで、ファンだって生き返ってくるわけじゃない」

「姪御さんを愛していないみたいな言い方するんですね」

思わず口を滑らせ、思った通りを言ってしまった。すると、相手は激しく怒り、汚い言葉を次々と投げつけてきた。

「あんたも、何だか知りもしないあのくそったれ財団の一味だろう! あいつらの世界は何だっていつだって美しいんだ。目ん玉しっかり開いて現実を見ろってんだ。金持ちは天まで届く金を持ってるくせに、あたしら貧乏人はろくでもない貧乏のまま。たまに、ほんの施しをもらうくらいさ。焼け石に水ってもんだ。あんたもあいつらみたいにあたしにご指導くれようって言うなら、もうとっとと帰んな。あたしゃ地獄なんか怖くもないいんだ。この世でおまんま食い上げる方がよっぽどおっかないんだよ！」

女はトーファンの死に哀悼の意も示さなかった。しかしながら、今日やって来た目的は言い争いをすることではないのだと考え、ティアンは努めて感情を抑えるようにした。

「僕は、おばさんの言っている人たちとは違うんです。言ったでしょう、後輩だって……その、大学の」

「何の大学だい？　ファンはね、高専卒なんだ」

まずいと思ったが、舌は引っ込められない。

「つまり、高専、それですよ」

この伯母に学がなかったのはラッキーだった。彼女は言い間違いを気にしなかったようだ。

「で、とどのつまり、あんたは何しに来た？」

「その……」

ティアンは少し考え、言い訳を探した。

「僕はトーファンさんに本を貸していまして……」

「なるほどね。それで取り返しに来た、と」

女は侮蔑するように唇を曲げた。

「わざわざ本なんぞを取り返したくって、あんたは来たってわけだ。そうしないと、あたしがファンの荷物をまとめて屑屋に売っ払っちまうからだろうね」

ようやく目的の家に入れることになり、ティアンはほっとして息を吐いた。彼を脅した大型のタイ犬は、植木鉢の裏に隠れるように伏せている。今にも飛びかかって噛みつくのではと不信の念を抱きながら、彼はそれを見た。女は肥えた身体でぶらぶらと歩き、家の裏手にある散らかった汚い物置き小屋へ向かった。

「その箱で全部だ。見つかったら、さっさと行きな。まったく時間の無駄ってもんだ」

言い終えた時、女の旧型の携帯電話から着信音が鳴った。その漏れ伝わる会話から、招かれざる客は、彼女の職業が闇クジの売人なのだと理解した。

ティアンは自分の用事に戻った。汚れるのも構わず泥や砂だらけのコンクリート床に膝を付け、洋服の入った袋をいくつも取り除く。すると、大きな段ボール箱が出てきた。中には、ミス・トーファンの私物が入っているようだ。

ティアンはどきどきしながら、ゆっくりとそれを開いた。たちまち、目がプラスチックの写真立てに引き寄せられる。写真の中では、愛らしい顔立ちの若い女性が一人、花畑の真ん中に立って微笑んでいる。花々は暁の光を弾き、背景には薄い霧が流れていた。

胸の辺りがきりりと痛み、ティアンは顔を硬直させた。体内の臓器が一瞬、異常な鼓動を刻んだ。……分かってる。この女性が〝彼女〟だというんだろう？　心の中で心臓に呼びかけると、それは静まった。それで、他人の持ち物の捜索を再開した。

ティアンは身分証のようなカードをつまみ上げた。乾いた血が付着している。誰もそれを拭き取ってあげようとは思わなかったのだろうか……。

……『セーントーン財団』。

「ファンの財産はそれだけだよ！　いつまで探してるんだい」

あの伯母のおっかない声が降ってきて、白昼夢に浸りかけていた彼はびっくりして飛び上がった。

「はいはい、ありました」

ティアンは叫び返しながら、箱の中の物をもう一度眺め、思い切ったように、二、三冊の教科書とノートを取り出した。物置き小屋から出ると、先生だったトーファンのたった一人の家族が咎めるような視線を送ってくる。

「見せてみな。あんた、何を持ち出したんだい？」

すっかり泥棒扱いされ、ティアンは、手の中の本を相手の皺《しわ》くちゃの顔に突きつけるように見せつけた。

「……これだけだ。あのごみ屑の中のどこに盗むものがあるっていうんだ」

「なんてこと！　あんたにはただのごみかもしれないけど、あたしらには金に換えられる物は何でも価値があるんだよ！」

女は乱暴に手を振って客を追い返した。

「行っちまいな。あたしゃ、昼寝の時間だ」

元将官の息子は、目の前でぼろぼろの鉄扉を叩きつけるように閉められ、脳が一瞬麻痺する。数カ月前の彼なら、こんな侮辱を受けたら間違いなく、手段を選ばず、あの婆《ばばあ》のトサカを引っこ抜いてやるだろう。

ティアンは鼻息を荒くし、むしゃくしゃして宙を蹴りつけた。自分のドナーの足跡を探るなんてもうこれでお終《しま》いにしよう。考えてみれば、そんなもの人生に何の意味もないのだ。

今日の計画は散々だった。分かったのは、ただ、彼女がかなり貧しい家庭の出身者で、親戚はろくでもない奴だったということくらいだ。

こんなひどい環境で育って、どんなきっかけがあって、彼女は……。

〝ボランティア教師〟というのは、一体、何の対価が得られるのだろう。確実にいえるのは、それは〝お金〟ではない。

ティアンは歩みを止め、ぶるっと首を振って、心の乱れを静めようとした。だが、遅かった。彼は、自分の性格を熟知していた。一度何かに疑問を持ったら、どう足掻《あが》いても忘れられないのだ。

昼の暑さの中を一キロにもわたって歩き続けたせいで額に噴き出した汗を拭い、集落の表通りに出てタクシーを探した。急がなければならない。こんな時間まで失踪して、帰宅が遅れたら、あと一時間もしないうちに母親が父親に無理強いし、残っている威光を笠に軍を出動させ、バンコクの隅々まで息子を捜索させることは確実だ。

美しい庭園。透かし彫りの木材をあしらった八角形のサーラー。元将官の末息子はカウチに寝そべり、ｉＰａｄでゲームをしている。携帯電話は自ら故意に破壊した。数日前に母親の差し向けた監視人、チャットから逃亡したのが原因だ。あの日はタクシーで帰宅し、何とか思いついた最悪の言い訳をした。

「友達に会ったんだ。新車を自慢されたものだから、試乗してた」

ラリター夫人は、視線で息子をめった刺しにしていたが、続く台詞を聞いて、ますます叩きのめしたい衝動に駆られる。

「ガソリンスタンドに寄った時、母さんに電話しようと思ったんだけど、ダンがケータイを水に落としちゃってさ」

そう言うや、ティアンは証拠品を持ち上げてみせる。最新型スマートフォンの画面は真っ暗闇で、本当に水の跡まである。

もちろん、ラリター夫人が完全に信じたわけではない。が、息子が無事に帰ってきて傷ひとつ付いていないのを見て、事実を根掘り葉掘り尋問する気も失せてしまった。

それからというもの、被告は罰としてどこへも外出できずにいる。さらに、鼓膜が貫通してしまうくらい長ったらしい説教を聞かされる羽目にもなった。

ティアンは何をする気にもなれず、ごろごろと体を反転させた。しばらくそうしていてから、iPad上のゲームの終了ボタンを押した。別のブラウザを開き、情報の検索を始める。ほっそりした指は、脳の命じるまま、深く考えもせずに、こう入力する。

……セーントーン財団。

目を走らせ、情報をざっと読む。この財団の設立目的におかしなところはない。ボランティア教師という掲示板をクリックする。読み進めるうち、ティアンの眉は奇妙なものでも見たかのように寄せられていく。

違う世界……それは、ティアンのような財宝の塊の上に生まれた人間が触れたことのない世界だった。

知らなかった。こんなにも多くの新しい世代の若者たちが、見返りも期待せず、ボランティアで人類を救うことに関心を持っているだなんて。

「ただの見せかけだ……」

ティアンは小馬鹿にするように唇を曲げ、自分が信じる方を採ることにする。

遠くからメイドが呼びかけてきた。彼女は急ぎ足に走ってきてコードレスの子機を手渡し、テーチンからだと告げる。未来の医者が自宅の番号に電話してきたのは驚くべきことじゃない。なにしろ、ティアンは外へ買い物になんか行かれる状況ではないのだから。

「もしもし、テー兄さん。何か用かい……」

つまらなそうな声を受話器へ注ぎこんだ。

「嘆きの声でも聴こうと思ってね」

相手のやる気のない返事を聞き、テーチンは喉の奥で笑い声を立てた。

「それだけかい？　じゃあ切るよ」

ティアンは本当に通話停止ボタンを押しそうになったが、その時、相手が叫び返してきた。

「待てって。話を聞けよ。来週、連休があるんだ。誰かさんが新しい携帯電話を買いに行くのに付き合ってやろうと思ってね」

「……テー兄さん、こっち来るのかい？　そりゃいいや。退屈で死にかけてたんだ」

そう、ラリター夫人のお許しを得て彼を監獄から連れ出せるのは、この未来の医者以外は誰もいない。

「それより、何か告白したいことはないかい？」

テーチンはいきなり話を変えた。この〝いい子〟がどこへ消えていたのかラリター夫人から聞いていたし、証拠の品も提示されていた。が、テーチンは信用なんかしていない。スマートフォンの一台くらい、ティアンのような富豪の息子ならぶっ壊してもおかしくはない。

「いや……別に何もないよ」

声がしどろもどろになる。

「なんか秘密がありそうだなあ。悪いことを企んだりとかしてないよね」

ティアンは血が滲みそうなくらい唇を噛んだ。だから事情通の奴は嫌になる。やれやれ。

「……悪いことは何もしてないさ。テー兄さんが信じないなら、それでもいいけど」

「まあ、意地でも張っておくんだな。待ってろよ。オレがバンコクに帰ってから引っくり返るなよ」

そこでテーチンは黙り込んだ。急に誰かが会話に割り込んだようだった。

「……今、看護師が来てさ、教授との会議が入った」

「分かった。じゃあ準備しなよ」

ティアンはこれ幸いと会話を切り上げようとしたが、開きっぱなしになっていたｉＰａｄのウェブ画面をちらりと見た時、心に引っかかっていた疑問が口から出てしまった。

「他人のために見返りを期待せずに何かをするのって、幸せなことなのかい、テー兄さん？」

もしも電話の相手の顔が見えたとしたら、ティアンがこの問いを投げかけることはもう絶対になくなるだろう。テーチンは、まるで世にもおぞましい怪談を聞いたかのように目を大きく見開いていた。

「ええと……」彼は落ち着きを取り戻そうと、咳払いした。

ミスター・ティアン・ソーパーディッサクン、この高慢ちきなブルジョア青年が何を考えているのだか知らないが、今回は冗談や茶化しではなく真面目に答えた方がよさそうだ、とテーチンは感じる。

「前にさ、タムブン、つまり恵まれない子どもたちへの募金や寄付の話をしたことがあったよね。その時、ティアンはこう言った。送金すればいい、自分で行くなんて大変だと……」

未来の医師はしばらく口をつぐみ、言葉を探した。

「言いたいのは、ただ……実際にやってみないで、他人のためにすることが本当に幸せなのかどうか、どうして分かるんだということだ」

ティアンは唇をぐっと閉ざしていたが、それを小さく開くと囁《ささや》くように言った。

「あるいは僕は不幸なんだろうか……」

ただ、他人のために何かをしたことがないという理由で。

テーチンは、その無邪気な言葉に優しく微笑む。

「そうじゃないよ。ただ、君は、傍にあるもうひとつの世界の生き方を、まだあんまり知らないというだけだ」

ティアンが答えに迷っているうちに、電話の相手は会議へ行ってしまった。彼はぐったりとしてカウチへ頭から倒れ込んだ。混乱し切っていた。

僕の世界とは、何だ？

そして、もうひとつの世界とは、どんなものなんだろう……。

テー兄さんの言うことは難しい。医学生というやつは物事をややこしく考え過ぎる。美しい顔に憂いが溢れてくる。

自分勝手なわけではないが、〝自分〟のこと以外は分かるわけはないのだ。金銭があれば物理的な幸福は買える。では、精神的な幸福とは？

便利さに満ちた大邸宅へ淡いブラウンの目がぼんやりと注がれる。たくさんの使用人に取り囲まれ、呼べばいつでも用を足してくれる。あたかも、誰もが訪れたがる地上の楽園のようだ。父親、母親、そして兄、姉はそれぞれ立派に社会を渡っている。日々欠かすことなく雑誌や新聞の記事を飾っている。時に、ティアンはそれらをとても遠い存在に感じてしまう……自分とは違う、と。

名声や、人々にもてはやされることは、ティアンの望みではなかった。振り返れば、忘れ去っていた小さな幸せがあった。

例えば、ちょっぴりの賛辞。十一歳の頃、壊れたラジコンカーの修理を成功させた時に子守役がくれたそれは、我儘なお坊ちゃんの頬をほころばせた。

嬉しかった……父さんがガンダムのプラモデルを一式揃いでくれた時よりも。

馬鹿げた感傷だ！　ティアンは額を叩き、自らを叱責した。それからおもむろに立ち上がった。家の中へ入り、服を着替えて走りに行く。日々、乱れていく心を静めるために。

療養中の患者は、誰の支えもなしに歩けるようになってからは、二階の自室に戻っていた。

部屋は広々として、その片隅に機器を完備したホームシアターを優に設置することができた。他、3D映画のメガネ、最新型Xboxのゲーム機といった装置もそこにはあった。

ティアンは、大きく柔らかなソファに足を投げ出して座り、濡れた髪をタオルでごしごしと擦った。十万バーツ近い値段（日本円で約三十三万円）のするワイドスクリーンテレビは、さっきつけたばかりのデジタルチャンネルの動画を映し出している。

ティアンはふっと笑った。それは、宝石で飾り立てた上流階級の人々が雁首並べて慈善活動をするという番組だった。彼らは競って舞台へ上り、濁声《だみごえ》を披露した。

娯楽として、上流階級への賛美だらけの番組をだらだら眺めながら、手術後からは缶ビールに取って替わったフレッシュオレンジジュースのグラスを傾ける。が、キャスターがある名前を読み上げた時、ティアンは思わず口の中のものを吹き出しそうになった。

甘やかな桃色のシルクドレスに身を包んだ中年女性。タイ産ルビーに細かなダイヤモンドをちりばめたネックレスが目を惹く。ラリター夫人はちょうど舞台へと歩んでいくところだった。家で見ている側は、こそばゆくてどんな顔をすればいいのか分からない。やれやれ、自分の母親を笑いたくなんかないってのに。何百万バーツの寄付をしたら、一度に五曲も歌わせてもらえるんだ？

息子の彼は笑いをこらえ切れなくなり、目の前の小さなガラステーブルを引っかき回してリモコンを取り、停止ボタンを押した。ちょうどその時、手がぶつかり、積み上げてあった古い本の山が崩れた。それは、あの寂れた家から彼が持ち帰ってきた……トーファンのものだった。

死者の持ち物を家の中へ持ち込むのは良くないと聞いたことがある……。ティアンは思わず肩をぶるっと震わせた。でも、トーファンは完全な死者とはいえないだろう。彼女の心臓はまだ彼の胸の中で変わらぬ鼓動をしているのだから。

これらの物は捨ててしまおうかと考えた。持っていても意味がない。だが、その刹那、奇妙な模様のノートへ視線が吸い寄せられた。

彼はまず、思案するようにそれを持ち上げて見た。ハードカバーのノートで、楮《こうぞ》で漉《す》いた紙が表紙になっている。飾りとして、大小の星形の鮮やかな色紙が糊付けされている。そして、レタリングの文字……。


『千の星の物語』


「物語?」……子守唄か何かか?

淡いブラウンの瞳が思案するかのように彷徨《さまよ》う。広げてみると、夢見がちな少女のような丸っこく可愛らしい文字が出てくる。流行りのスタイルで、読みにくくはない。

〈昔々、トーファンという女の子の命が生まれたのは……〉

そこまで読み、ティアンは馬鹿馬鹿しくなった。どうやら彼女の人生を語った物語らしい。

他人の日記なんか読むべきではないと思い、ページを閉じようとしたところ、一枚の紙がノートからひらりと落ちた。

……いや、それは、一枚の写真だった。

隠し撮りなのだろう。色褪せてはいるが、力強い写真だった。緑色の迷彩服に包まれた巌《いわお》のように強靭そうな広い背中は銃を担ぎ、崖に雄々しく歩を進めている。影の中の横顔は、今まさに深い山の頂上に現れた太陽の最初の光を見上げている。まるで、〝彼〟には、天上の微かな希望の光が見えているかのようだ。

その瞬間、身体中が痺れ切ったかのような感覚があった。逆に心臓は最大の早鐘を打つ。胸部をハンマーで殴られたかのような痛みが走る。ティアンはソファに体を丸め、苦痛に身体をよじる。

努めて冷静に規則正しい呼吸を試み、肺に深く息を吸い込む。やがて、胸のひどい痛みは和らいでいった。ゆっくりと体を反転させ、仰向けになる。それから、天井の虚無をぼんやりと見渡した。ティアンの手には、まだ、その軍人の写真がきつく握られていた。

この〝心臓〟の記憶の中では、どこかの誰かが眠りに就いているのだ。

03　鼓動

翌日。ティアンはゆっくりと歩きながら、虚ろな目で応接間を見た。会うのは、招いていた客ともう一人……招かざる客。ルイ・ヴィトンの豪華なソファを二人の異なるタイプの青年が占めている。

未来の医者は、いつも通りのきちんとしたシャツにスラックス。弟のように慈んでいる相手が、大きな欠伸をしながら部屋に入ってくるのを見て微笑みかけた。

「昨夜は眠れなかったのかい？」

「おはよう、テー兄さん」

ティアンは手を軽く挙げて応じ、夜遅くまで自分が何をしていたのかは答えなかった。就寝したのはほとんど朝だった。……ミス・トーファン・チャルーンポンの安っぽい小説じみた人生劇を読みふけっていたわけだが。

生気のない青白い顔がもう一人の男へ向いた。ファッションはヒップホップ系、口ピアスに鼻ピアス、野蛮極まりない。

「……トゥン。なんで来たんだよ」

暴走ギャングはにやりとした。

「車で来たんだよ。ハマーだぜ。親父が輸入してな、最新型だ」

頭が刺されたみたいに痛む。ティアンは、テーチンの隣のソファへ体を投げ出した。

「朝からくだらねえこと言うな。なぜ、電話もしないで来るんだよ」

トゥンは未来の医者へ横目をやり、喉の奥でいやらしく笑った。

「サプライズで来なかったら、こんないい場面に巡り合えないもんなあ。お前、そっちに転向したんだな。朝っぱらからイチャついてくれてよう」

神経がぶち切れそうになる。ティアンは出し抜けに立ち上がり、隣のムカつく野郎に飛び蹴りを食らわす体勢になる。テーチンがなんとか体を押しとどめてさとす。

「まあやめとけ。オレなら気にしないよ」

「僕が気にするんだよ！　オレがマジに転向したらだな、真っ先に掘られるのはてめえのケツなんだよ、くそトゥン野郎！」

ティアンは、怒りで大声を限りにわめく。

トゥンは可笑《おか》しいのをこらえて肩を震わせる。僕が気にする……だって？　僕、ときた。まるで子どもじゃないか、可愛いもんだ。

トゥンとティアンは知り合ってずいぶんになるが、暴走仲間というだけの関係で、私的な話に首を突っ込んだことはなかった。仲間の家へ行くというのも、これが初めてなのだ。

「悪かったよ」

トゥンは、負けたよというように手を挙げてみせた。手術したばかりの友人の心臓に、重労働をさせたくもなかった。

「暇だったから来てみたってだけでな、ま、先客がいるならオレは帰るから」

「待ってくれ！」

ティアンは叫び、立ち上がって前のドアの方へ向かっていく長身を引き寄せた。トゥンは振り返って訝《いぶか》しげに眉をひそめる。元将官の末息子は、目を泳がせながら考え込む。

「家の前でちょっとだけ待っていてくれないか」

それから、最初に約束していた相手に振り向く。

「テー兄さん、実は……」切れ長の目に迷いが浮かぶ。

「友達と行きたいのかい？」

分かっていたよというようにテーチンが微笑む。

「……別に構わないよ。けど、後でお母さまにオレが叱られるようなことはしないよな？」

「ただ、飯を食うだけだ……」

そして、きっと、あれこれ詮索したがるテーチンのような人を連れては行けないような他の場所にも、行く。

「遅くはならないと約束してくれ。お母さまにチェックの電話を入れられて、何度も繰り返し嘘はつけないから」

ティアンは即座にテーチンの手をぐいと握り、揺さぶって約束した。

「もちろんだ。夕方には帰る。時間を取らせて申し訳なかった」

ふむ、他人に謝ることもできるようになった。どうやら、元の弟が戻ってきたようだ、とテーチンは感じる。もう片方の手で卵形の頭を撫でてから、小憎らしい柔らかな髪をくしゃくしゃにしてやった。

「さあ、行けよ。戻る時は呼んで。家まで送ってやるから。お母さまが先に帰って待ち構えてるかもしれないからな。言い訳を考えるのもかなわん」

ティアンは大きく肯き、素早く立ち去る。暴走仲間は、大型の四輪ジープにもたれかかって待っていた。ティアンはたちまちのうちに車のドアを自ら開けて乗り込んでしまい、持ち主がぶうぶう騒ぎ出す。

「何だってのよ？　結局、オレと行くのか。どこへ行けってんだ」

罵りながらもトゥンは続いて乗車し、エンジンをかけた。

「飯食いに行こう。ラーマ二世通りだ」

「なんでラーマ二世なんだ？　お前んちの傍じゃだめなのかよ。スクムウィットならいい店いくらでもあるぜ」

「いいじゃないか、いちいち訊くな。運転してろって」

ティアンはせっつき、とうとう、馬鹿でかい四輪駆動車は舞い上がるように華麗な邸宅を飛び出した。

ティアンには行きたい場所が一つあった。もしテーチンに同行してもらっていたら、質問責めに遭ったに違いないが、彼自身、まだ何と言えばいいのか分からないのだ。

今日、天の采配でトゥンの野郎がやって来たことは最高だった。奴の長所は干渉が嫌いで、他人のプライバシーに口を挟まないことだ。ティアンの用事を思うと、最適だった。

が、相手はそうは思っていなかったようだ。ラーマ九世橋の渋滞を抜けると、トゥンは眉をひそめて助手席の人間を見る。そいつは代理の携帯電話でグーグルマップを凝視し、几帳面に経路の指示を出してくる。奴が何をする気なのかは知らないが、本当に飯を食いたいだけというわけではないのは確実だ。

「次の角を左折だ」ティアンが前方の小さな信号のある四つ角を指した。

トゥンは言われた通りに曲がる。小路をかなり入って行く。一軒家が多く、大小の樹木が青々と陰を作っている。ティアンを見ると、首を突き出すようにして何やら探しているようだ。他人への干渉が嫌いな彼でさえ、口を挟まずにはいられない。

「お前、どいつの家を探してる？」

ティアンははっとする。……挙動不審だ。

「だから、飯屋だ」

「おい、ぼんぼん。オレは阿呆じゃねえぞ」

〝ぼんぼん〟は、複雑な顔をした。それから、目の先に看板らしきものを捉える。

「おい！　停まってくれ、トゥン」

だが、この大型車の主が停車させる頃には目的の場所を何メートルも過ぎてしまう。一心に後ろを振り返る彼にトゥンが尋ねる。

「バックすりゃあいいのか？　どの家だ」

ティアンは古ぼけた緑色の鉄柵を見やる。その内側は、大きな樹木で埋め尽くされている。二階家の屋根が煉瓦塀《れんがべい》の上から微かに覗く。ゆっくりと正面に目を戻し、じっと静止した。瞳には逡巡が満ちている。見たかったから、見に来ただけだ。なにも立ち入って、かかずらう必要はどこにもない……。

「どうするんだ？」トゥンが急かした。

「いや、いい。出してくれ」

「何だってんだ。手のかかる野郎だな……」

トゥンは眉をひそめ、ぐいとアクセルを踏む。あてこするように車が急発進した。

結局、彼らは本当に飯を腹に収めることになった。馬鹿でかいハマーは、あんかけ麺の店先の路肩に停まっている。トゥンは、コーラをぐびぐびとラッパ飲みし、渇きを癒した。瓶を戻すと、ステンレスのテーブルにぶち当たって大きな音がする。

「訊くのもかったるいわ。てめえから言えよ。オレに車出させて、この界隈で何がしたかった?」

「腹が減ってるからって怒るなよ。十皿でも奢るからさ」

ティアンは話を逸らした。が、百戦錬磨のゴッドファーザーの息子が騙されるはずもない。

「質問に答えてねえ」

「ごちゃごちゃうるさいな……」

彼はわざと苛立ったようにわめき、事実をぼやかした。

「ああもう!　言わねえなら、もう言うな。お前の奢りと言ったな。なら、全ての店をハシゴだ。破産させてやる」

トゥンは後ろを振り向いて店員に怒鳴った。

「お姉さん、さっきのやつ、あと二十個ね。持ち帰りで」

ティアンは胸を撫で下ろした。こいつの詮索を封じられるのなら、あんかけ麺を百包み注文されても惜しくない。

まもなく、うまそうな香りを漂わせるシーフードのあんかけ太麺が目の前に置かれた。腹を空かせた二人は、ぺしゃんこの胃袋の力には勝てなかった。

「お兄さん。キーホルダーはいかがですか?」

いきなり、小さな声がした。彼らの三皿目の大食いマラソンが中断される。

ティアンは、その男児のみすぼらしい顔を眺めた。身体も汚らしく、痩せ細っている。浅黒い唇は不揃いな歯を隠すようにして閉じている。がさがさの手に、安物の編みぐるみが付いたキーホルダーがぶら下がっている。

「一個二十バーツです。三個で五十……お兄さん、どうか買ってくれませんか」

最後は懇願するような声になった。だが、その丸い瞳は、絶望的に乾き切っていた。こんな十歳にも届かない子どもの目とは思えないくらいだった。

「要らないよ、坊主。他のテーブルに行きな」

トゥンが口を開き、手で追い払った。当たり前の風景だった。

「どうか……お願いです。一個だけでもいいです」

「要らないって言ってんのが分かんねえのか?」

トゥンが声を大きくした。子どもに纏《まと》いつかれ、金をせびられるのを鬱陶《うっとう》しがっている。

ティアンは友人が顔を引きつらせるのを見て、それから、みすぼらしい子どもに目をやった。子どもは慌てて場所を離れ、隣のテーブルをターゲットにするが、すぐにまた追い払われてしまう。

ティアンは、子どもの身体を目で追った。肩を落として店を出ていく。説明のできない奇妙な感情が湧く。金を引っ掴んで与えてやりたい、という感情。だが、奇怪な行動をするもんだと友人に笑われたくもない。以前なら、彼だって、他の人々と同じように弱い者を怒鳴りつけていたに違いないのだ。

それなのに、今、ティアンは静かに座っているだけだ……。

元将官の息子は、スプーンとフォークを合わせ、食事が済んだことを示した。皿のあんかけ麺は、まだ半分以上も残っていた。彼はストローで水を啜りながら、目の前の男が食事を終えるのを静かに待った。そして視線を外へと注いだ時、異常な動きが飛び込んできた。

あのキーホルダーの男児だ。そのガリガリの体を一人の小太りの女が力ずくで引きずり、手を振り上げて容赦なく殴っている。

〈ニムおばさんの気に入らないことがあると、私は常にハンガーで叩かれていた。これが新たなもう一つの地獄だった。その前は酒癖の悪い父だった。殴られっぱなしだった母は脱走し、七歳だった私はたった独りで残酷な運命に立ち向かわなければならなかった……〉

ティアンは弾かれたように立ち上がった。椅子の脚がコンクリート床を擦って音を立てる。あの日記の文章が、今まさにこの現実で誰かの慈悲を求めて叫んでいるかのような気がした。ティアンが飛び出すと、周りの人たちが目を丸くした。食事中の友人もびっくりしている。

「ティアン！」

トゥンが立ち上がりついて行こうとする。彼は一瞬、何をどうしたらいいのかというようにきょろきょろ辺りを見回したが、すぐに落ち着きを取り戻し、千バーツ札（タイで最も高額の紙幣。日本円で約三千三百円）を取り出してテーブルに置く。

「あの野郎、また何だってんだ、くそ！」

ヒップホッパーは堪忍袋の緒が切れたかのように罵り、大急ぎで友人の後を走っていく。

母たる人が子を冷酷に打ち据えるという図が、社会でありきたりになってしまったのは一体いつからだろう。近所の人は気づいても見過ごすだけで、小さな子どもを助けようとする誰かなんていやしない。ティアンみたいに、がむしゃらに止めようとするような奴は、たぶん、別の世界の人間だけだ。

「もういいでしょう！　この子は傷だらけだ」

ティアンは両手で母子を引き離した。

見たところ、女は彼よりそう年上ではなさそうだった。敵意のこもった上目をキッと投げつけてくる。

「お節介はよして。あたいがこいつを産んだんだ。あたいがこいつを死ぬまで叩いて何が悪い！」

息子はそれを聞くと唇を押し広げ、耳をつんざくような声で泣き始めた。それでも母親は、子のあざだらけの腕を力ずくで引っ張ろうとする。だが、ティアンがそうはさせない。

「ここまでやるなんて、この子が何をしたっていうんだ」

ティアンは理解ができずに怒鳴る。子どもをかばったことで、今度は女がバシバシと自分を叩いてくるので、皮膚がひりひりするのにも耐えなければならなかった。

「このろくでなしは物も売れないのさ。売れなかったら、何を食えばいいっていうんだい？　赤ん坊のミルクだ何だ、一家で飢え死にだよ！」

女はあらん限りの金切り声を上げた。そして、目の前を塞いでいる青年の胸部を平手で思い切り叩く。

痛みでティアンは身体を丸め、飛び退いた。額いっぱいに透明な汗が流れる。呼吸がうまくできなくなり、端整な顔が青ざめていく。

「おい！　オレのダチに何しやがった」

野蛮な騎士が割って入った。トゥンは友人の肩を支える。

「……大丈夫か？」病人の容体を気にして、トゥンは尋ねる。

「問題ない」

抱えてくれていた腕から、ティアンは身を外す。それから、怯えたようにその場を離れようとする母子に詰め寄っていく。

淡いブラウンの瞳が相手を凝視する。全力で声を振り絞って尋ねる。

「あんたが欲しいのは、金だけか？」

「何だって？　あんたがくれるとか言うんじゃないだろうね」

「金をやったら、その子を叩くのをやめるか？」

「そりゃ、お金さえ稼げればやめるさ」

女は答え、子どもの薄い肩先をまるで無機質の物品のように突いた。子どもは再び口を歪め、しゃくり上げ始める。

「今日、稼げたらやめる。明日、稼げなかったら叩くのか……」

それでいつになったら、この悪循環から抜け出せるというんだ。ティアンは深呼吸し、高価な財布を取り出すと総額数千バーツもの全紙幣をつまみ上げ、掲げた。すらりとした指で、人間の尊厳さえも買収できる価値の紙束を屑のようにくしゃくしゃに丸める。目の前の母子に向かって床にそれを投げつけた。

「持って行け……使い方を間違えなきゃ、あとしばらくはあんたは子どもを酷使しなくて済むさ」

そして、もしもっと知恵があれば、これだけの金があったらさらに百にも千にも増やせるはずだ。

だが、見たところ、そのことに思い当たる節はなさそうだった。母親は、誰かにかっさらわれるのを恐れてでもいるかのように、素早く札束を拾い上げた。この男は頭がおかしいのだと彼女は考えた。愚かなことばかり訊きやがる。現実なんぞこんな理解《わか》りやすいものはないのに。だが、礼は言わなきゃならないな。〝子どもが可哀そうに見えれば、憐れんで金をくれる奴がいる〟と教えてくれたことには。

胸糞が悪くなるような笑みが生みの親たる人間の顔に浮かび、ティアンは吐き気を催す。女はさっさと子どもを引きずって立ち去りながら、聞き分けなくちゃんと歩かない子どもをどやしつけた。金を投げた者を振り返りもしなければ、ありがとうの「あ」の字も言わなかった。

トゥンは狐につままれた気分で、この極めて馬鹿げた出来事を見守っていた。ゆっくりと暴走仲間に視線を移すと、彼は、爆発寸前の気持ちを静めようとしているかのように拳を握り、唇を噛んでいた。そして、トゥンが口を開こうとしたちょうどその時、ティアンが先に言葉を発した。

「金って、そんなに大事なのか？」

「ええと」

ゴッドファーザーの倅《せがれ》は、どうするべきかと頭に手をやり、髪をかき回していたが、率直に答えることにする。

「……大事だ。そうじゃなきゃ、お前やオレがこうぷらぷらしてられるか？　もし金がなかったらよ、お前かオレのどっちかは確実にさっきのガキと変わらないことをしてるさ」

「……なるほど」ティアンは微かに首肯した。

生まれは選べない。だが、人生は自分で選び取ることができる……。そういう風に、かつて誰かが言った。しかし、今、彼が気づいたのは、それを自分で〝選ぶ〟機会すら持たない人もいるということだった。

……これが、〝機会の欠如〟というものか。

トーファン。彼女はまだ幸運だった。地方に住んでいたが、公立学校に行けたのだから。そしてバンコクに引っ越した後も、費用のあまりかからないお寺の学校が近くにあった。だから彼女は、〝教育〟から広い世界を学ぶことができた。彼女が〝小さな機会〟を電気さえない僻地の子どもたちに分け与えようとしたのは、それが一番の理由かもしれない。

ティアンは唇を結んだ。最後の決断を迫られている。決定的なものを見つけたかのようにブラウンの瞳が持ち上がり、見つめられた方は肌を粟立たせた。

「引き返せ」

トゥンは訳が分からなくなった。「はあ？」

「さっき通って来た道を戻るんだ」ティアンは静かに言った。

「……やっと分かったんだ。自分の行きたい場所が」

大きなハマーが元の細い小路を曲がる。だが今回は、明瞭な目的地がある。トゥンがエンジンを停止させたのは、古ぼけた緑色の門の前だった。平凡な外観だが、興味を惹くのはおそらく木製の看板だ。正面に堂々と目立つよう掲げられている。

〝セーントーン財団〟

トゥンは、隣に立っている友人の顔を覗き込む。……財団、だって？　自分たちのような暴走ギャングには全くもって似つかわしくない場所だ。一体全体、医者の奴、ティアンの心臓を切ったのか脳味噌を切っちまったのか疑わしくなる。

「お前は先に帰っててていいよ。オレはちょっとここに用がある」

ティアンは畳みかけた。これ以上、友人に疑問を持たれたくなかったからだ。

が、彼が門を押すよりも早く、トゥンが歌を口ずさむように言う。

「……ミス・トーファン。セーントーン財団のボランティア教師」

ティアンは踏み出した足をぴたりと止め、険しい顔で振り返る。

「読んだのか？」

「そりゃ読むさ。いきなり、ウィサヌの野郎が轢いた女の過去を調べろと言われて、何の疑問も持たない奴があるかい？　ただ、どれだけ考えても思いつかないんだよな。その女と、お前みたいな富豪の息子に何の接点がある？　可能性はただ一つ……」

トゥンは狐のように目を細めてニヤリとし、顔を突き出してくる。

「トーファン先生は、お前の女だ」

ティアンは眉をきつくひそめ、瞬きもせず友人を見つめた。不快感をあからさまにしながら、ティアンは自分の左胸を重々しく二、三回叩き、言った。

「彼女は、オレの〝命〟だ」

その意味を相手が理解するかどうかは構わず、ティアンはそのまま古ぼけた柵の扉を押し、財団事務所の内側へ入った。同伴の友人は、トラックにでも潰されたみたいな顔で呆然と立ち尽くす。

舗装された通路の両側には青々とした樹々が茂っていた。梢《こずえ》には、ペットボトルで作った色とりどりのモビールが飾られていた。あるものには風鈴が括られ、風にリン、リンと音を立てて、穏やかで涼しげだった。財団という名ではあれ、実際は、その会長が所有する一軒のただの家だった。

家屋の下階は、簡単な事務所になっていた。部屋には物語絵が集められていた。それは、僻地のボランティア教師や生徒たちが代々創作してきたクレヨン画だった。財団が様々な機関と合同で開催した活動の写真もあった。

ティアンは事務所に踏み入ると左右を見回した。おかしなことに、誰もいない。ドアに鍵はかかっていなかったのに。

「すみません。どなたかいませんか?」彼は大声で呼んでみた。

「普通はいるのですよ。でも今日は公休日ですから、誰も出勤していないのでしょう」

静寂の合間から風紀の先生のような落ち着いた低い声がし、訪問者はびっくりして飛び上がった。

「日にちを間違えたようです……」

ティアンはへらへらと笑ってごまかした。

「また来ます」と、踵《きびす》を返そうとする。

なんてことだ。長い休暇のせいで、すっかり日にちの感覚がなくなっていた。なるほど、テー兄さんが連休と言っていたわけだ。単に公休日だったのだ。

定年を超えていそうな年頃の丸々とした男は、色褪せた青色のモーホームと呼ばれる伝統的な藍染めのシャツを身につけていた。相当高価な服装とアクセサリーで着飾ったすらりとした長身の若者に目をやり、尋ねる。

「それで、君はこの財団に何かご用でしたか？」

「その、僕は……」

ティアンは相手の威圧的な視線を見て唾をごくりと呑み込み、遂に思い切って口にする。

「……僕は、〝ボランティア教師〟に志願したいんです」

白髪まじりの太い眉が驚いたように上がった。何不自由なさそうな青年の口から聞こえたのは、思いがけない言葉だった。

「ついて来なさい」

そう言って、高齢のスタッフは書斎の方へ向かって行った。部屋の前には名札が掲げられていた。

教師　ウィナイ・セーントーンタム

〝会長〟

ティアンは、ウィナイという名前の教師と思われる人のデスクを前に、恐る恐る身を縮めるように座った。しばらく、ウィナイ教師に見つめられるのに任せ、それから小さな声を出した。

「志願書か何か、先に出さなければなりませんか？」

ウィナイ教師は長く息を吐き、椅子の背にもたれかかった。少しリラックスしてきたようだった。

「その件は、ひとまずおいておきましょう。まず、もう一度説明させて下さい。もしかしたら、君はまだ〝ボランティア教師〟とは何かを理解していないかもしれないですから……」

元将官の息子は唇を歪めた。相手は、ティアンが遊び半分だと考えている。反論の口を開こうとすると、ウィナイ教師は、待ちなさいというように手を挙げた。

「こうしましょう。もしも君がすでによく理解しているのなら、問題に一つ答えて下さい。問題、ボランティア教師とはどんなものを与えるのか」

「ええと……」ティアンは言葉に詰まった。まずは仕事の面接ってわけかい。

「……子どもに、将来の役に立つ知識を与えます。僕は何でも教えられます。英語も大丈夫です。数学や物理はもっと得意です。工学部なので」

「私が言っているのは……君自身が、だ」

向かいに座っている彼の困った顔を見て、ウィナイ教師は可哀想になったのか小さく笑みを漏らした。新しい人生経験を欲しがってやって来る若者はいくらでもいる。ボランティアの真の目的については何ひとつ理解することなく。

「〝ボランティア〟とは、献身による他者のための行為だ。君は、知らない場所へ行けること、多くの人に出会えること、地元の変わったものを食べることに夢を膨らませているかもしれない。しかし、肉体的なつらさで、君は疲れていく。そして結局、荷物をまとめて逃げ帰るんだ。これまで費やした時間が何のためだったのか、自分自身への問いに答えることもできずにね……」

ティアンは肩を落とし、何かを省みるように静かに顔を伏せた。脳の中を様々な思考と感情が波のように押し寄せ、言葉にならない感情に眼窩《がんか》が熱くなった。

ウィナイ教師は、しゃがれた声が小さく口から漏れ出すのを聞く。

「僕は……何ひとつ知ってはいないんです」

ティアンは、肺に押し込められていた息を吐き出した。思い切って言ってしまうと、胸が軽くなった気がした。充血した瞳が上を向き、高齢の教師の目と静かにぶつかる。

「献身とは何か、僕には先生の仰《おっしゃ》ることは理解できません。でも……もしも、〝献身〟によって僕が〝幸福〟と出会えるなら、僕は、それを探してみたいんです」

「では、それを別の方法で探してみようとは思わんのかね？　ボランティアは、それだけで大きな献身だ。その上、人にものを教える〝先生〟にならなければならない。とても大変なことだ。君自身、他人のためにかをするということをまだよく分かってすらいないのに、私がどうして森やら山やらの遠いところへ安心して送り出せるというのだ」

「でも、僕には自信があります！」

ティアンは慌てて大声で口を挟んだ。

「そちらに行かせてもらえば、僕は自分への答えを出せます。そして、帰ってきて、あなたの問いにお答えします」

ウィナイ教師は、このわからず屋には参ったというように首を横に振った。「ところで君の名前は何というのかね？」

「……ティアン」

ティアンは哲人の意味だ。こんな不良みたいな青年に全く似つかわしくもない博学そうな名だ。

「では、ティアン。聞くがね、君はどこへ行きたいのだ？　言ってみなさい」

教師は声を柔らかくして訊いた。慈悲を感じさせる声だった。

「星の崖……パンダーオの崖です」

彼は躊躇なく答えた。心に決めていた場所のようだった。そのことは、ウィナイ教師の疑念を再び強くした。

「チエンラーイ県の国境、か」

ウィナイ教師は考え込むような風をした。

「あそこは何もないところだ。電気もない。水道もない。君は男だが、これまで苦労したことはない。ただ試しに行ってみたいだけなら、全ての揃った市内をお勧めするが、どうかね？」

暮らせないに決まっていると言われているようで、ティアンは意地で反発したくなる。

「そこが本当にひどい場所なら、どうしてトーファンみたいな女性が暮らせたんですか！」

「君……」

ウィナイ教師は呻くような声を出した。何かが変だと思う。

「トーファンを知っているのかね？」

失言だった！　ティアンは頭をかきむしった。慌てて訳の分からないことをまくし立てる。

「僕はその、彼女の後輩の親戚の友達の友達で」

喋れば喋るほど自分の首を絞めるようなものだ。こんな話は世界中の誰も信じそうにない。が、ウィナイ教師は問い詰めるつもりはないようだった。

「トーファンは、確固とした主義主張をもってあの場所へ行った。だが君は、君自身が混乱しているから行くという。不毛の地に耐えることなどできまい。何週間としないうちに帰ると言うだろう。他の人々と同様に」

つまり、トーファンが事故死をした後もパンダーオの崖へ赴いたボランティア教師がいたわけか。そして、誰も三カ月の契約を果たせなかった。

「どんな証拠をお見せすれば、信用していただけるのかは分かりません……。でも、僕は、本当にそこへ行きたいんです」

ティアンは懇願するような声を出した。希望が失われていく。何を言ってもウィナイ教師には反対されるだけなのだから。

「ティアン。ボランティア教師になるためには、あらゆる年代の子どもにふさわしい指導の準備をしなければならない。言わせてもらうが、それは簡単なことでは決してない。我々は全ての教師と心で契約を交わしている。一タームまるまるその場所にいる、という約束を。思うに、君は学生だね。それでどうやって行くことができるのかね？」

これが最大の難問だ。暮らせるかどうかなんてことよりも……。ティアンは苦しげな顔をした。ここまで来たら、もう本当のことを言うしかない。

「休学中なんです。家庭の事情です。時間については、問題じゃありません」

……事実を、まるきりは言わなかった。

ウィナイ教師は、韓流アイドル並みに端整な顔をやれやれと眺めた。決心を覆させるためのどんな理由を並べ立てても、効果がなさそうだ……。

とうとう、その決意には負けることにした。

「分かった。君を行かせることにしよう。あちらはちょうど人が足りなくてね。今回の訪問で君が答えを見つけられなかったとしても、少なくとも何かを学ぶことはできるはずだと私は信じている。例えば、他の人にはなく、自分にはあるものについて。そして、他の人にはあって、自分にはないものについて……」

見ると、ティアンは、ウィナイ教師の言っている意味が理解できないと言うように眉を寄せている。彼は優しく慰めた。

「難しく考えることはない。あちらに着けば、君も分かるだろう」

ティアンは首肯した。行かせてくれるならそれでいい。言うなら何でも言ってくれ。構いはしない。

「それで、僕はどうすればいいんですか？」

ウィナイ教師はようやく志願書を出してきて、履歴を記入させた。

「派遣の書類が整ったら、事務スタッフから君に再度連絡するようにする。パンダーオの崖は、軍の保護下にある地域でね。国境に接しているものだから」

「ありがとうございます」

ティアンはすぐさまペンを取る。ウィナイ教師の気が変わったらたまらない。

今日の目的は達成した。ティアンは、歓喜してセーントーン財団の事務所から歩み出た。歩きながら色々考えてみる。他人の夢の航跡を進むという決断が、自分の枠から飛び出したいというだけの刹那の火なのかどうかは、彼にも分からなかった。

ティアンは足を止めた。考えれば考えるほど混乱してきたからだ。すらりとした手をゆっくり持ち上げ、握ったり開いたりする。本当は、自分は、人類を救うヒーローになりたいだけの大馬鹿者なのかもしれない。

この手……以前は、自分と周りの人たちを傷つけるだけだった。この手で他人のために何かをすることなんて、本当にできるのか？

肩先をぶるっと震わせ、逡巡を振り払った。固く決心したからには、男は有言実行、後戻りするわけにはいかない。

古ぼけた緑色の門を出て、ティアンは首を傾げた。大型車ハマーが、まだ前に停まっている。頭をかがめ、車中を覗き込む。エンジンがかかり、エアコンが点けっぱなしになっている。トゥンは寝そべって携帯電話をいじっていた。

手を持ち上げ、真っ黒なフィルムで目隠しされたガラスをノックする。中の男が飛び跳ねるように身を起こし、ウィンドウを下ろした。

「ずいぶん遅かったな」

「お前、なんでまだいるんだよ……」

「お前はあの物乞いの母子に有り金はたいちまったと思ってな。それで、どうやって家に帰るんだ？」

ティアンはその答えにびっくり仰天した。

「一体いつからお前、そんな優しくなったんだ」

……ただ、奴は、ティアンのサブ携帯電話があるということを失念しているが。タクシーを呼ぶことだって、家の車を迎えに来させることだってできるのだ。

「やめろって。早く乗れ！」

からかわれ、トゥンはわざと怒ったみたいに友人を急かす。

ティアンは構わず肩を軽くすくめてから、車のもう片側へ回ってドアを開け、乗り込んだ。

車が発進する。ステレオから軽く流されるロックは耳に聞こえているのに、全てが静寂に包まれているような気がした。

「用事は済んだのか？」

トゥンがいきなり話しかけてきた。助手席の彼は、それで得心した。……つまり、次の質問へのくだらない前置きってわけか。

「終わらなかったら出て来るかよ。当たり前だろ。言いたいことがあるなら早く言え」

ティアンは面倒くさそうに返す。

「ああ分かったよ、率直に言う」

トゥンは喉に詰まっていたものを吐き出すように、口から息を出した。

「……トーファンは臓器のドナーだ。お前は提供待ちの登録者だった。彼女が死ななかったらお前は助からなかった。くそ！　なんて偶然だ」

切れ長の目がすっと見開き、話し手の方をじっと睨む。

「……てめえ、さっき待ちながら親父の手下使って調べたな。この話がしたくて待ってたわけだな？」

「ティアン、落ち着けよ」

他人のプライバシーには関わらない方がいいと、トゥンはよく知っている。が、このケースに関しては、友人が完全に常軌を逸していると思っていた。

「……ドナーがこの女だって、どうして分かったのかは知らねえよ。けど、ただ彼女の臓器をもらったというだけだぜ。〝心臓〟だ。脳みそじゃない。そこに記憶はない。だからな、お前はトーファンの代わりになる必要なんかねえ」

違う！　ティアンは思い切り叫び返したかった。が、唇を噛むしかなかった。もしも本当にこの〝心臓〟に記憶がないのなら、なぜ、あの軍人の写真を見て、胸が激しく高鳴るのだ……。

彼は目を瞑《つむ》り、気持ちを落ち着かせた。それから、抑揚のない口調で重々しくこう言った。

「お前が何を知ったとしても構わない。ただ、邪魔しないでくれ。オレがやろうとしていることは……本当に正しい決断だったと思っている」

ゴッドファーザーの息子は、友人を思い止まらせられないことに苛立って舌打ちする。

「オレの推測が間違っていなければ、お前はここで、彼女の真似をして山奥のボランティア教師に志願していた、と」

隠しても無駄だった。ティアンは静かに肯き、長ったらしいぼやきに耳を貸す。

「なんでオレが言っても分からねえんだ！　なんで彼女の跡を辿るんだよ。お前と彼女の人生は全く違う。お前が野っ原や土塊の上で寝起きして山岳民族のガキに勉強教えてるところなんか、全く想像できやしねえ」

「少なくとも予備役訓練団のキャンプへは行った」

「まだ口ごたえしようってのか！　お前のお袋さんみたいな貴婦人が許すと思うか？　それとも書き置きでもして、ガキみたいに家出でもするか？」

　ティアンは感心したように振り向き、目を光らせた。

「お前のアイディア、いいな。お袋が許すわけないし、方法は一つ、家出だ」

　おいおい、とトゥンは呆れ、憎たらしい友人の頭を小突く。

「本当にそんなことしたらな、間違いなく軍隊が地の果てまで捜索するぜ。お前の親父の命令でな」

「なら、協力しろよ」ティアンは叩かれた後頭部を痛そうに触っている。

「勝手にしろ！　オレはまだ殺されたくねえ。行きてえなら、てめえで何とかするんだな。オレは絶対に関わらない」

「関わらないのはいいよ。その代わり、誰にも言うな」

　ティアンは友人に無理やり約束させ、ひとまず安心した。

　巨大なハマーは高速に乗り、再びごたごたした市内を目指す。彼らはデパートに寄り、夕方までミニスカートの女たちを冷やかして歩いた。それから、ティアンは未来の医者に電話をかけ、迎えに来させる。今日のことは、おくびにも出さない。

ある日の夕方。邸宅の左ウィング先端の部屋から、子どもの笑い声が響き合ってくる。ティアンは、ちょうどシャワーを浴びたところだ。眉をひそめ、自室を出る。その部屋はそう離れた場所にはない。

十年ほど前、その部屋は夢の世界だった。将官の末のお坊ちゃまをあやすため、世界中のありとあらゆる玩具で隙間なく装飾されていたのだ。だが、今では、ラリター夫人の馬鹿みたいな財産保管所と成り果てている。

ティアンはその部屋の扉が細く開いているのに気づき、覗いてみた。すると、姉の三人の子どもたちが動き回っているのが見えた。つまり、彼の甥や姪なのだが、姉が、上から順に一番目、二番目、三番目の夫との間に産んだ子だ。

「タム、トン、テーム！」

ティアンは大声で呼びながら、三匹の小猿が散らかした物をかき分けていく。

「誰が入っていいと言ったんだい？　お祖母さまの物がめちゃくちゃになっちゃうじゃないか」

「お母さまがどこかで遊んできなさいと言ったんだ。でも、外に行くのはだめだって」

九歳になる男の子、タムが長男らしいはきはきした大きな声で答えた。

「じゃあ、下で遊ぼう。叔父さんがゲームで遊ばせてやるよ」

ティアンは努めて冷静に言ったつもりだったが、もう二人の子たちが彼のコレクションであるプラモデルを解体しそうになっているのが見え、だんだん落ち着いてはいられなくなった。

「トン、テーム！　プラモを元の場所に片付けろ！」

指をさして命じる。端整な顔立ちが鬼のように歪む。が、我儘放題に育てられてきた子どもたちが聞くはずもない。彼らは戦隊ロボを上へ下へと振りかざし、はしゃぐ。

小さな体が部屋中を浮き沈みするように走り回ることに、ティアンは怒りを覚える。自分が子どもの頃にどんな腕白坊主だったかは知っているのだが、こんな報いを受けると、ベビーシッターたちに今すぐ謝罪したいような気分になってくる。しばらく憤然としていたが、ティアンは心を決め、いたずらっ子らを捕まえにかかり、大騒ぎとなる。

一番上と二番目の甥が目配せし合う。叔父の彼は末の女の子を捕まえ、玩具を取り上げるのに成功した。子どもと大人では身長差があるのでティアンが身をかがめていると、タムとトンがその背に飛びかかり、ヘッドロックにかかった。

急に飛びかかられた荷重で膝が折れ、床に付く。彼は力を絞り、食らいついていた巨大な蛭《ひる》たちをまとめて振り落とすと、落下した限定エディションのガンダムのプラモデルが床に激突し、ばらばらに壊れてしまった。その瞬間、完全なショックでティアンの脳は真っ白になる。

「てめえ！」

大声が響き渡る。子どもには汚すぎる言葉だが構っていられない。事態を把握していないトンがプラモデルの破片を思い切り蹴飛ばそうとし、ティアンはその腕をぐいと強く引く。

「片付けろと言っただろうが。それがどうだ。めちゃくちゃだ！　なんで言うことを聞かないんだ！」

そうわめき、うっかり小さな腕をつねってしまう。すると、トンは唇を歪め、泣いて母親を呼んだ。一人が泣き出すと、他の二人もつられて泣く。下階にまで響き渡る合唱になってしまった。

ラリター夫人とピムプラパーは客間で話をしていたが、子どもの騒々しい泣き声を聞き、慌てて様子を見に上ってくる。ソーパーディッサクン家の第二子である姉、つまり三人の厄介な子どもたちの母親は、弟が自分の子に暴力を振るったと思い、かんかんに腹を立てる。彼女は素早くティアンの胸を押し離し、わめく。

「ティアン！　あんたはどうして子どもにひどいことするの！」

ピムプラパーは座り込み、パニックになっている子どもたちを抱いてなだめた。

「だって、この子たちが僕の物を壊したんだ。片付けるように言ったのに聞かないし。部屋中を走り回ってさ」

ティアンは強情に言い返した。身をかがめ、宝物だったコレクションの屍《しかばね》を名残惜しそうに集める。

「あんたって子はいつまで子どもなの。こんなくだらない玩具、壊れたって新しく買えばいいでしょう。でも私の子は買い替えられないのよ！」

拳をぐっと握る。一方、顔の上では眉を挑発的にぴくつかせている。

「……買い替えられないけど、〝作り〟直すのはできるだろう？」

姉が口を大きく開けて怒鳴りつけるよりも先に、ティアンは冷酷な声で言い放つ。

「それに、こういう玩具はもう買えないものなんだ。たとえ姉さんが来世まで探し続けたって無理なんだ！」

「それで私の子どもを叩いたってわけ、ティアン？　ひどい弟ね！」

彼女は震える声を限りにし、ラリター夫人が割って入る羽目になった。

「もう。誰も怪我しなかったのだから、良かったじゃないの。ピムはタム、トン、テームを連れて下りて行きなさい。お菓子でも食べていて」

それから、母は末の息子に向き直った。

「それから、ティアン。話があるわ」

ティアンは気に入らなそうに唇の端を曲げ、蹴飛ばすような歩き方で母に従った。ピムプラパーの猛烈な怒りの視線が追ってくる。

二人は、今は無人の父の書斎に入った。息子は身体を投げ出すようにふてくされて椅子に座る。

「ティアンはトンを叩いたりしてないわね。ピムはいつも大げさなのよ。あんな風に子どもを甘やかしていたら、親の髪の毛を残らず引っこ抜くような礼儀知らずの子に育ってしまうわ」

彼女はぶつぶつとこぼした。

「なら、母さんはとっくに髪がなくなってるね。自分の子どもはどうだい。人騒がせで子守が軒並み辞めていたじゃないか」

こう言われたら彼女はぐうの音も出ない。ただ、どうにか体面を保つのが精一杯だ。

「でも、少なくともあんな風にティアンをかばったりしたことはないわ」

ラリター夫人は負けを認めたように首を横に振り、声をやわらげて続けた。

「昔のことはいいわ。でも、今、あなたは何歳なの？　甥と姪は何歳？　どう見ても自分の方が大人じゃないの。あなたはもっと感情を抑えられるようにならないといけないわ」

「抑えてるさ！　もしもあいつが僕の宝物を壊したりしなければね。あのロボは……」

誕生日プレゼントだった。その日、家族は揃って顔を合わせていた。ティアンはかろうじて口をつぐんだ。弱さを見せてしまう前に。

「まあいいさ」

ティアンは何かを追いやるように手をひらひらさせた。

「僕の短気が悪かったということで。子どもにあそこまで強く怒鳴ったりすることもなかったんだ」

皮肉交じりの譲歩に、母親は長いため息をついた。息子に近寄り、形の良い頭を軽く撫でる。

「でも良かったわ。暴力は何も解決しないということに気づいてくれて」

息子はしばし黙り込んだ。淡いブラウンの瞳の奥に後悔が滲み出ている。これまで最悪の事態は免れて生きてきたけれど、やはり母親を傷つけるような生き方をだらだらとまだ続けるのだろう……。

そして、全く正反対の世界へ乗り出すという彼の選択は、本当に良い考えなのだろうか。

ティアンは自分の頭に置かれたふっくらした手を取り、軽く包み込んだ。

「……僕は母さんを悲しませたくはないんだ」

ラリター夫人は、息子の言葉に驚いたように眉を高く上げた。それは重みを持って聞こえた。けれどもどこか妙だった。悪い予感はしたが、笑い話を装って言う。

「まあ、なあに？　悲劇の映画でも見過ぎたんじゃない？　中国映画よろしく、生き別れて険しい山へ修行に出かけるみたいじゃないの」

するといきなりティアンがラリター夫人の胸に飛び込んできた。顔を突き出し、もごもごと答える。

「分からないよ。本当に行っちまうかもしれない」

「あなたが暴走をやめてくれて、パブやらバーで朝帰りすることもなくなって、もうそれだけで母さんは嬉しいわ」

「知ってるよ……」

過去の話を蒸し返され、ティアンは表情を固くした。

「そうだ、夕飯は僕の部屋に運ぶよう言っておいて。下で食べてピム姉さんとまたやり合うのも面倒だし」

「分かったわ。果物も付ける？　今日はとっても大きなふじ林檎があるの」

ティアンは静かに頷き、息を止めてから切り出した。

「今夜は遅くまでゲームするから、朝は起きないと思う。明日は、誰も起こしに来させなくていいからね」

「じゃあ、そう言っておくわ。明日、父さんと母さんはちょうど朝から基地でパーティーなの」

座っている息子のきめ細かい額にかがみ、ラリター夫人は軽く唇を付けた。

「やり過ぎないで、早く寝るのよ」


深夜。邸宅は灯りを落とし、暗闇に包まれている。ただ、煌々《こうこう》と灯っている二階の一室を除いて。バックパック型のブランドもの旅行鞄。ティアンがウェブサイトでこっそり注文しておいたものだ。それは必要なもの不要なものを取り混ぜ、ぎゅうぎゅう詰めになっている。クローゼットの前で青年は眠たい目をこすり、思い切って、厚みはそれほどないが防風性のある濃い色のパッド入りジャケットを引き出した。帽子と毛糸のマフラーも。

今は雨季が終わり、寒季が始まろうとする月だが、セーントーン財団のスタッフの助言によると、パンダーオの崖は凍える寒さだということだった。ティアンは完全に充電したノートパソコンを吟味するように眺める。が、その山に電気はないのだ。うっかりしていたが、３Ｇの電波もない。

よし……思考終了。何を持って行ったって無意味だ。インターネットがなくても知るか！

すらりとした身体を投げ出し、額に手を当てた。何度も寝返りを打つ。何かを思い出したような気がして、跳ねるように再び起き上がる。彼はベッドサイドの引き出しをかき回す。トーファンのノートを隠してある、引き出し。

ティアンは最後のページをめくる。その青いインクが永久に消えてしまう前に。

物語に終わりはない……。

たとえ女の子の小さな夢でも、それは消えない光として、この鼓動する〝心臓〟に潜んでいる。ティアンはページを遡り、全ての文字を記憶に刻み込むように読みふける。ページに挟まれた写真。淡い色の瞳を向け、複雑な感情に包まれる。

……そのパンダーオの崖に行けば、〝彼〟に会えるのだろうか。

04　始まり

　ソーパーディッツサクン家の邸は騒然としていた。悪いニュースを聞いたラリター夫人とその夫が、慌ててパーティー会場から飛び帰ってくる。末の息子が失踪前に残した書き置きを読み、母親は卒倒した。

　父親のティーラユットは大声でメイドを呼び、すぐに嗅ぎ薬とメントール軟膏を持ってくるよう命じた。間を置かず、警備員が報告に来る。

「監視カメラは確認しました。出入口の扉と塀周りの映像は深夜から全てが消されています。故意に回路を切断したようです」

　それは朝飯前だろう。なにしろ、事の張本人は工学部機械工学科の学生だ。元将官はズキズキとするこめかみを押さえる。その時、たった今我に返った妻の悲嘆の叫びが響き渡った。

「落ち着け。そう重大なことではあるまい。あいつももう大人だ」

「大人なのは体だけよ！　本当の大人ならこんな風に逃げ出したりしないはずです。何事も、まずは話し合うはずよ」

ラリター夫人が息子を非難した。

ティーラユットは大きくため息をつき、妻の横に座る。

「……まあ、あいつも分かっているんだろう。お願いをして、君が許すわけはないからね」

「まあ、あなた！　あたしがそんなに石頭だとでも言うんですか」

彼女は目を見開いて夫を睨んだ。

「君は石頭じゃないよ。一つ、ティアンのことを除けば」

元将官が落ち着いた声で続ける。

「あれが心臓病だと分かって以来、君は前よりさらに甘やかしていたね。壊れものを扱うみたいに。それであいつも窮屈だったんだろう。人生を投げ出したように不良になった。手術が終わってみれば今度は、あれをしちゃいけない、これもしちゃいけない。ちょっと遊びに出かけるのも許可なしではだめだと言う。……僕らの息子はただの療養中の患者だ。受刑者ではないのだよ」

それを聞き、夫人はぽろぽろと涙をこぼした。

「あなたは、こうやって息子をうんと心配するのが間違いだと言うんですか」

「間違いではない。だが、何事も度が過ぎては良くないということだ。お釈迦さまは我々に中道ということを教えて下さった。多過ぎず、少な過ぎずということだよ。そうすれば、人は安寧に生きられる」

「ティアンは、これ以上何が欲しいっていうの？　住む家があって車があって、お金だって困らせたことなんかなく、ふんだんにあるわ」

　ティーラユットは小さく微笑んだ。

「それは僕らが幸福と呼ぶものだ。だが、ティアンにはそうじゃないのかもしれないね」

　軍人の彼にとって、末の息子が母親の作り上げた豪奢な籠の中から外の広い世界へ踏み出そうとしていることは、逆に喜ばしく思えるのだった。

　ただ、今、最も心配なのは、ティアンがどこへ行こうと考えているのか、そして、危険な目に遭っていないかということだった。

　元将官は、師団に在任中の親しい部下に直通電話を繋ぐ。そして急遽人員を捜索にあたらせるよう頼んだ。息子の目的がはっきりし、それが特に危険なものでないのならば、人を派遣して遠くから監視させるつもりだった。ティアンには満足のいくまで求める人生を味わわせてやりたかった。

　ティーラユットは妻を落ち着かせ、二階で休ませてしまうと、下へ戻ってあの置き手紙を取り出し、読み返した。

「父さん、母さんへ

この手紙を書くことがどんなに難しかったかを分かってもらいたいと思います。ただ、これは決して家出ではないということを信じて下さい。奇跡的に命が助かって以来、僕の目に映る全ては完全に裏返ってしまいました。そして、これまでの人生がなんて空虚なものだったのかと感じています。自分が一体何を求めているのかさえ分かりません。

僕はただ見てみたいのです。他人の口からはよく聞くのに、自分が知らずにきたものを。最後に、言います。僕のしていることは何の汚点となるものでもありません。今はまだ捜さないで下さい。時が来たら、自分から帰ります。心配しないで下さい。

愛をこめて
ティアン」

元将官は静かに手中の手紙を畳んだ。彼はただ、末の息子が求めている〝答え〟に早く出会えることだけを願っていた……。

バスが線路を横切った時の振動で、青年は目覚めた。彼は窓ガラスにもたれてぐっすりと眠っていた。強い陽光が分厚いカーテンの隙間から漏れ入ってくる。ティアンは大きく欠伸をし、腕時計に目をやった。短針が数字の二を指している。すらりとした手で無意識にパンツのポケットから携帯電話を取り出した。画面上に着信はない……。

そりゃそうだ。だって、全ての追跡アプリを閉じておいたのだから。さらにＳＩＭカードも交換し、別の番号になっている。帰れなんて電話は、誰もかけては来られない。

ティアンはくたびれた体をよじった。生家の塀を乗り越えた時には体勢を崩し、少し転んでしまった。外へ出てからは小路の入口まで歩き、タクシーに手を挙げた。それは午前三時のことで、一台も来ないかと思ったほどだ。どうにか長距離バスのターミナルに着けたが、危うく乗り遅れるところだったのだ。

ティアンは飲み水のボトルを傾け、カーテンをほんの少し寄せて田園風景を眺めた。今頃、家の人は彼の失踪に気づいているだろうか。もし気づいていたら……部屋に残してきた手紙の願い事を聞いてくれると期待するだけだ。

エアコン付きの一等バスはガソリンスタンドへ入った。乗客らは下車してストレッチをしたり手洗いへ行ったりする。飛行機を使うのに比べ、移動時間は優に十倍かかるのだが、この方が格段に追跡しにくくなる。請けあってもいいが、彼のような忍耐力のないお坊ちゃんがここまでするとは、絶対に誰も考えない。

あと数時間でチエンラーイ県のバスターミナルだ。そう思うと、はやる気持ちを抑えられなくなる。もらった情報によれば、彼の向かう集落は国境に接する軍営の管轄地域にあった。それで軍の士官が誰かを迎えに寄越し、安全を確保してくれるとのことだった。

バスのエンジンのかかる音が轟《とどろ》くと、それを合図にして乗客らが乗り込み、再出発をした。それから何分と経たないうちに、大型車は国道に出て疾走を始めた。あとはもう休憩もなく目的地まで走り続けるのみだ。

午後四時半、大型バスはチエンラーイ県の停車場へ時刻通りに到着した。ティアンは、頭上の荷物棚に置いてあったリュックを背負い、バスを降りた。周囲の様子を呆然と眺める。この新しい場所に慣れず、結局、他の乗客について歩くことにした。

停車場は広大で、高く開放的な屋根が付いている。長いベンチには、席取りの人たちが置いた鞄や果物籠がびっしりと溢れ返っている。正面の辺りに、古いジープが静かに停められていた。ずいぶん頑張って働いてきたような見かけだ。公用車のナンバープレートが付いている。それが集落から彼を迎えに来た車なのかどうか、ティアンにははっきり分からなかった。運転手の顔はまだ見えなかった。

彼は重たいリュックを下に置き、柱に寄り掛かって、携帯電話に登録しておいた財団スタッフの緊急連絡番号を探した。が、いきなり後ろから話しかけられ、驚いて飛び上がる。

「セーントーン財団の先生ですか？」

相手に臆面もなく〝先生〟と呼ばれ、インチキ教師に過ぎないと自覚している彼は乾いた笑みを返した。

「どうぞティアンと呼んで下さい」

ティアンはタイ式の礼儀正しい合掌の挨拶をした。深緑の上着に迷彩色のズボンを纏《まと》った軍人。年の頃は、父の後輩くらいの世代に差し掛かっている。

「はい。ティアン先生」

……相手は聞いていなかったようだ。

「自分はヨートチャーイ三等曹長といいます。ヨート曹長でも結構です、先生」

彼は自己紹介をした。発音に地方の人らしい訛りがある。

「荷物はこれだけですか？　さあ……自分が持ちます」

ティアンは遠慮もせず、相手が彼のリュックをジープの後ろに積み上げるのに任せる。常に世話を焼く人がいるということに慣れ切っているのだ。ドアも窓もない車に後から続いて乗り込む。幾多の戦闘をくぐってきた古い車体にエンジンがかかり、唸りを上げて走り出した。

この軍用車両は幌《ほろ》だけが屋根代わりだった。それ以外は開放されていて風がよく通った。ティアンは、額や頭髪の間を流れる透明な汗を手で拭った。ヨート曹長はそれを見て笑った。

「今は暑いでしょう。でもこれから先生は山に登ります。夜になったら、毛布をかけても間に合わないくらいですよ」

「軍のキャンプで寝ないといけないということはないのですよね？」

ティアンは訊いた。財団スタッフが言っていたのは、宿舎があるということだけだったのだ。それがどこにあるのかは教えてもらっていなかった。

「集落に先生の宿舎があります。軍営は、そこを過ぎてさらに三キロ登った崖にあるんです」

ティアンは頷き、二時間後に到着する予定の集落について、年長の曹長の話を聞いた。

「パンダーオの崖の集落は、とても小さな集落です。タイの地に入植した〝ウロアカ〟というアカ族の村なんです。何世代にもわたってきましたので、子孫たちはタイ国籍を取得していきます。昔は多くケシ栽培をしていましたが、撲滅されまして、国王様のご慈悲により職員が派遣され、自給自足の方法が指導されました。ですから、今では、茶畑やコーヒー農園、寒冷地の花々の栽培がされています。もうすぐ通りますから、先生、どうぞ尾根をご覧になって下さい。段々畑がいっぱいですよ」

それからおよそ一時間、ジープは狭い紅土《こうど》の道に入った。両脇はびっしりと樹々が茂っている。ヨート曹長が言うには、このあまり便利そうでない山道は、何年も前に、軍と集落の人たちが一緒になって地固めをしてできたということだった。石と固めた土の道に過ぎないが、上り下りにかかる時間を少なからず縮めてくれたという。

日の光が空から消え始め、気温が下がり出した。ティアンは、ぼろぼろのシートに縮こまり、ヨート曹長が鼻歌で故郷の東北部のモーラム（タイの歌謡曲のジャンル）を歌い、コオロギの声がそれに混じるのを心地よく聞いていた。そうしているうちに車は道を曲がり、路肩に停まった。

「ティアン先生。ここからは徒歩で行かなければなりません」

ヨート曹長が微笑みかけた。

徒歩だと？　ティアンは無理やり微笑した。「まだ遠いですか？」

「いいえ、遠くありません。集落の裏の方へ、ぐるっと回ってきましたから。先生の宿舎はちょうどそこにあるんです。表側からですと、あと五キロ歩かなければなりませんが、ここからならたったの二キロです。余裕ですね」

余裕って、化け物か！　苦労知らずの新任ボランティア教師は、目玉が飛び出そうになった。彼にとっては、五十メートル以上でもう車の距離だ。それになんだってこんなリュックを担いで、あと何キロも坂道を上らなきゃならないんだ。

ヨート曹長は相手がやる気をなくしているのを見て慌てて釈明した。

「ここからの坂は、ほんのちょっとした勾配ですから……」

そして進んで荷物を持ってくれる。ティアンは代わりに懐中電灯を持った。

空が暗くなり始める。ヨート曹長は道を急いだ。さもないと、おっかない爬虫類の類と出くわす羽目になる。ティアンは手のひらサイズの懐中電灯で前を照らす。白色の光の中に、集落へ分け入る狭い坂道が見える。手術後、医師の指示通りに日々の運動をしていて良かった。なんとか目的地まで持ちこたえられそうだ。

ヨート曹長が、ほんの数十メートル先のあばら家の影を指した。ティアンは前かがみになり、ぶるぶる笑う膝に手をやる。

「もうすぐですよ、先生。ご辛抱を」

先を行く彼の大きな声が降ってくる。声に疲れは微塵もない。まったく、歳だって若くはないのに。

ティアンは顔を上げ、冷たい空気を大きく肺へ吸い込み、歯を食いしばって歩みを再開する。白い煙が風に薄く漂い、木の燃えるような匂いがした。辺りを見回すと、石を簡単に円形に並べた中に、火が焚かれている。黒く焦されたちょうどいい大きさの木切れが、古い小屋の前の闇を明るく照らしていた。

黒々とした長い影が現れる。ティアンはゆっくりと目で辿った。一人の大きな体の男が立っている。男は腕組みをし、竹造りの小屋をぼんやりと眺めていた。

銃を担いでいたわけでも、軍の迷彩服に身を固めていたわけでもない。が、この巌《いわお》のように強靭そうな大きな背中は、ティアンには見違えようもないものだった。

細い指から懐中電灯がこぼれ落ち、地面に音を立てた。たちまち白い光が消える。暗闇に紛れていた顔がこちらへ向きを変え、その鋭い眼差しと目が合う。周囲の全てが静止した気がした。心臓だけがそれに反して激しく鼓動し、裂くような痛みがティアンの胸に広がった。

突然、この新人ボランティア教師の体がくずおれた。が、地面に倒れ込むよりも前に、出会ったばかりの若き軍人が駆け寄ってきて、その細い腰をぐっと支え上げる。

ティアンの頬が彼の胸に触れる。それは思っていたよりもがっしりとしていた。それにより今、自分を抱いているのは男なのだと改めて気づかされ体中の血が顔に上って熱くなった。ティアンは眉をぎゅっと寄せ、目を固く瞑《つむ》る。早鐘のように打つこの愚かな心臓を止められそうにはなかった。それは今にも胸を突き破り、飛び出してしまいそうだ。

「大丈夫か？」

低く響く声が耳元で囁《ささや》いたような気がした。ティアンは小さく跳ね上がり、素早く相手を押し返す。自分の体は崩れ、地に尻餅をついた。

「先生！」

ヨート曹長が驚いて駆け寄る。だが、軍人が上官に敬意を示す膝を曲げないグーステップ行進の作法は忘れていない。年配の軍人がほっそりした腕を引き上げた。

ティアンはジーンズに付いた泥を払い、長身の大きな男に視線を投げた。おいおい……鬼だよ。思わず口に出しそうになるが、構うもんか。

「大丈夫です」彼は、心配そうに覗き込むヨート曹長に向き直った。

「先生……」

ヨート曹長が手のひらを指し示すように広げ、表情を変えずに立っている中隊長の紹介をする。

「こちらの方は、プーパー大尉、役職は第三三〇七歩兵師団中隊長、基地はプラピルンの崖にあられます」

彫りの深い顔がこちらをじっと見つめてくる。ティアンは唇をぐっと噛む。大方、面倒な奴だとでも思っているのだろう。気に入らない。

「敬礼しなくちゃいけないのかな」

そして、ついうっかりいつもの喧嘩腰になってしまう。が、相手は乗ってこない。

「いや。普通の挨拶で構わない」

ティアンは返す言葉がなく、仕方なくタイ式の合掌の挨拶をする。ヨート曹長はこの最初の対面があまり良い雰囲気でなさそうなのを見て、慌ててとりなす。

「隊長、ティアン先生はオット先生の代わりとして来られました」

彼が言っているのは前のボランティア教師のことだ。ここで耐えられた期間は三週間くらいだっけ。不便さに敗北し、先月、荷物をまとめて山を下りた。

若き隊長は頷いて、あばら家を指さす。

「君は荷物を置きに行ったらいい。必要な物は、私が命じて準備してある」

プーパーは少し沈黙してから口を開き、聞かされた方が思わず飛び蹴りを食らわしたくなるような台詞を言う。

「……物の使い方を知っているといいんだが。ティアン先生」

「取扱説明書なんかはありますかね？」ティアンは完全に食ってかかる口調だ。

「田舎の物だ。使い方を知らなかったら、明日、誰かに教科書を作らせてやる」

あてこすっているのかどうか判別できなかった。というのも、プーパーの声はまったく真面目だったからだ。

「ありがとう」

ティアンは、この鬼のような体躯の軍人に、とりあえず口ごたえしないでおくことにした。

苦笑を浮かべているヨート曹長から自分の荷物を入れたリュックを受け取り、さっさと小屋に上がる。高床式の竹造りで、屋根に藁が葺いてある。

ボランティア教師がぼろぼろに壊れた梯子段を上っていくのを見て、ヨート曹長は上官に意見を求める。

「隊長、まだ工兵に階段の修繕をさせないのですか？」

「ここ数日、木材を伐《き》る密入者のことに追われて忘れていた」

プーパーは特に気にも留めていないように簡単に答えた。

「それに、急ぐこともあるまい。彼も長くはいないだろう」

「隊長、人を見かけだけで判断してはいけません。オット先生は無欲そうで、集落の人にも溶け込んでいるように見えましたが、そうではありませんでした」

士官級の軍人は長いため息をついた。鋭い瞳は、誰にも言えない何かを抱えているように重たげだ。

「で、ヨート曹長は、彼が三カ月間のタームを完全に勤め上げられると思うのか？　ぴかぴかの青二才、頭から爪先まで最新ファッションにブランドものだ」

プーパー大尉は繰り返した。

部下はへへっと笑い、それに関してはもう何も意見を言わなかった。

「ところで、隊長はどうやって来たんですか。私の乗ってきた車は入口のところに停めてありますが」

「基地のバイクを借りてきた」

たとえ曲がりくねったでこぼこの坂道でも、この基地に四年も所属していれば問題ではない。

「一緒に帰られますか？　こんな夜中にオートバイはえらく危険です」

「問題ない。慣れている。では基地で会おう」

プーパーは言い切って歩み去り、近くに停めてあった二輪に跨がる。エンジンをふかし、寒風も構わず発進する。が、すぐ、何か思い出したようにフットブレーキを踏んだ。

あの新人教師のお坊ちゃんに明日やるべきことを伝え忘れていた……。

知ったことか。見たところ、早起きなんかしなそうだ。午前中、整列の後にでも、小屋の前で張っていれば間に合うだろう。

そう決めると、彼はアクセルを回し、さらに三キロ向こうの基地へ直行した。

小さな竹小屋は表にちょっとした縁側があり、中はただガランと四角い部屋になっていた。ティアンは暗闇の中で電気プラグを探そうとし、それから、ここには電気も水道もなかったのだと思い出した。一体、村人はどうやって暮らしてるんだ？　リュックを部屋の隅に下ろし、ハリケーンランタンが備えられているのを見つけた。

元将官の末息子は、落ち着きなく腰を下ろす。窓から入る月明かりを頼りにランタンを取り上げる。しげしげと眺め回し、ランタンの台座部分、メーカー名のところとは反対側に英語の小さな文字がびっしり隙間なく並んでいるのを発見した。使い方だ。

懐中電灯があったはずだと周りを探すが、小屋の外で落として拾い忘れていたことを思い出した。それで、電波がないために無用の長物と化した携帯電話を出し、懐中電灯の機能を使って照らすことにする。

やたらと細かい文字を必死に読み、眼窩《がんか》がすっかり痛くなる。こんなキャンプ用品は使ったこともないが、これほど明確な説明書きがあって実行できないほど、彼も愚かではない。

ランタンを細竹の床に置く。台座を少し回していくと、出っぱったプラスチックのシリンダが見つかった。シリンダを引き上げ、ポンプを何十回となく上下させて、点火ボタンを押す。オイルディスペンサーのマークが付いたバルブを右へいっぱいに捻ると、間もなく大きな炎がぼっと燃え上がった。彼は驚いて飛び退く。

一分ほど待ったが、炎が小さくなる気配はない。竹小屋が燃え尽きてしまうのではないかと恐ろしくなる。ティアンは恐る恐る手を伸ばし、オイルのバルブを左回しに閉めた。

すると炎がだんだんと小さく萎み、命に危険はなさそうな程度になる。都会人はほっとして胸を撫で下ろした。ハリケーンランタンを持ち上げ、ちっぽけな家屋の狭い空間で邪魔にならないよう、壁に寄せて置く。くるりと別の方を向き、色々観察するが、目に入ったのは、背の低い文台と、古いマットレスにボロそうな掛け布団、穴の空いた綿入りの四角い枕、それに、使い古されて色のくすんだ蚊帳《かや》くらいだった。

ましだったのは、竹の床や壁が磨かれていて埃っぽくはなかったことだ。掃除をしてくれた人がいるのだろう。しばらくの間、彼は何から手を付ければいいのか分からず膝を抱えていたが、思い切って立ち上がり、蚊帳を吊ることにした。予備役のキャンプに入ったことはあるものの、そこではいつもテントで寝るかキャンバス地を張っていた。

ティアンはくすんだ白のネットを不器用に広げた。四隅に紐が通されていて、何かに括って吊るすのだとは推測できる。顔を上げて柱や壁を見回すと、かろうじて釘が打たれているのが分かった。ちょうど四隅にあたる。彼は紐の先端を全て釘に巻きつけ、弛んだいびつな形を作るのになんとか成功した。

ティアンは大きく息を吐き出し、脱力したように再び床に座り込む。腹の鳴る音が静寂に大きく響き、彼は昼から何もちゃんとしたものを食べていなかったのを急に思い出す。細長い眉をきつく寄せ、あの鬼みたいな図体の隊長を憎々しく思う。一体、何のために待ってたんだ。手ぶらで来やがって。食べられるものの一つも持って来なかったじゃないか。

自分のリュックのところまでのろのろと膝行していく。シリアルスティックを二つ三つ入れてきたのを思い出したからだ。その時、ステンレス製の三段重ねピントー（持ち手の付いた円筒形の食品容器）と一瓶の水が目に入る。入口の扉枠に隠れるようなところにあったので、小屋に入る時、見逃していたのだ。

ティアンは濃い唾液を呑み込んだ。……うっかりトーファン先生の恋する人をひどく罵ってしまうところだったじゃないか。が、気にせず肩をすくめる。本人が聞いているわけじゃない。彼は空腹に耐えられずピントーに飛びつく。開けてみると、タイ風の卵焼きに、豆腐のスープ、そして冷め切った白米があった。

……プーパー隊長はどうして僕が辛いものを苦手だって知ってるんだ？

当てずっぽうだろうか。まあいい、胃液で胃袋に穴が空きそうだ。この際、目の前にある食べ物が激辛のチリ炒めでも許せるくらいなのだ。

ティアンを知る人が今日のこの姿を見たら、間違いなくこぞって腰を抜かすだろう。美食家の彼が亜鉛の匙《さじ》で乾いた飯を口へ放り込み、世にも美味そうに咀嚼《そしゃく》しているなんて。

腹が減っていると、つまらない卵焼きでさえ美味い。豆腐のスープなんか最高だ。ティアンは米粒一つ残さず平らげると、水の瓶を持ち上げてがぶりと飲んだ。

いから。

「ごちそうさま」と、独り言を呟く。広がる空間の他には、誰に話しかけていいのか分からな

それからティアンは、自分のリュックから物を取り出しにかかった。希望を言えば、寝る前にシャワーを浴び、歯を磨きたいのだが、こんな遅くにどこで用が足せるというのだ。シャワークリームの小さな容器を掴み出した手を止める。プーパー隊長もヨート曹長も、それについては全然教えてくれなかった。この夜更けに散歩しながらぷらぷら探すなんてのも無理だ。小屋の周りには森、森、森ばかりだ。

このまま寝るしかない。

心を決めてマットレスに向き直り、蚊帳の中に敷いた。かび臭くて身体を横たえる気になれないが、一晩中座った姿勢で眠るわけにもいかない。ティアンは目を固く瞑り、息を止めて硬く四角い枕の上をめがけて仰向けに体を投げ出した。ハリケーンランタンの灯りが屋根の形を浮き上がらせている。近くにあった携帯電話をいつもの癖でいじろうとしたが、電話もインターネットも電波は全くない。

高価な文鎮と化した携帯電話を脇へ放り出し、百回目のため息をついた。コオロギの声が冷たい風のそよぎに混じって静寂を運び、凝固し、美しい目の端を溢れる涙へと変わった。

ティアン、お前はこんなところで一体何をしてるんだ……。

日が昇り、入り組んだ山脈の高々とした頂が光を浴びている。だが、昨日から服も着替えずにいる男は、おかしな形に弛んだ蚊帳の中でまだ丸まったままだ。腰に手を当てて立っているのは大きな長身の男、緑がかったカーキ色の丸首シャツの左胸に円形の縫い取りがある。王冠勲章だ。そして、迷彩柄のズボン。起き上がりそうもない新人教師を見て、疲れ果てたような表情をする。

若き軍人は、首都からやって来た貴公子が昨夜落とした懐中電灯を置き、すっかり火の消えたハリケーンランタンをちらりと見る。オイルバルブが半開きになったままなのを見ると、一晩中の使用で燃料がなくなったのだということは分かる。

使い方が分からないほど馬鹿ではなく、自分で何とかできるのはいいが、寝る前になぜランタンを消さない。大方、小屋が丸焼けになってみないと、こういうランタンがバッテリーではなくオイルを使うものだということに気づかないんだろう。

プーパーは息を深く吸い込み、経の文句を唱えて心を水のように静めた。それから厚みのあるごつごつした手で蚊帳の端を引き上げ、上方で四隅を全て折り畳む。床すれすれに体をかがめ、きつく自身の体を抱いて眠っている相手を揺さぶった。

「ティアン、起きろ……」

起こされるのが気に入らないというように、ティアンは向こう側へ寝返りを打ち、プーパーは眉をひそめる。彼は頭をぐいと近づけ、色白の耳元へ決して小さくはない声を吹き込む。

「そんなに楽をしたいなら、なぜボランティア教師になったんだ。家に帰ってふわふわのベッドででも寝たらどうだ」

その声にティアンは飛び起きて座り直す。バンコクの自分の部屋ではもう寝られないのだと思い出したのだ。だが、その拍子に、鼻先がプーパー隊長のざらざらした頬に触れそうになってしまった。

触れただろうか、いや、触れてはいないはず……。透明感のある綺麗な顔が、ぱっと赤く染まる。もう一人は擂粉木《すりこぎ》のように無表情だ。

プーパーはゆっくり立ち上がる。すっかり立ってしまってから、部下に命令する時のような厳しい声で言う。

「起きて水浴びに行け」

ティアンは顔をごしごしと擦り、さっきのことは忘れようとする。そしてわざと違う話をわあわあとわめく。

「分かった分かった。シャワーはどこにあるんだい？　昨日は何も教えてくれなかったから、着替えもしないでべたべたのまま寝るしかなかったよ」

「この近くだ。が、暗くなってから行くのは勧めないな。大小の用だけなら、裏手に汲取式がある。目隠し板も付けてある」

ティアンは、汲取式便所というものがどんな見かけをしているのか、想像もつかなかった。

まあ、用が足りれば十分だろうと甘く見て外に出て、そこからほど近い別の一隅へ目をやった。ほんの小さな掘建て小屋がある。かろうじて覗き込めない程度に竹を編んで作られていた。屋根は藁葺きで、ぽつんと孤立し、裏はもう森だった。扉を開けてみると、嫌な臭いが流れ出してきた。そこに見えた穴は板で覆われていたが、真ん中が切り取られ、用が足せるようになっているのだった。

富豪の息子は嫌悪をあらわにして後ろ手に扉を閉めた。……どうやら思ったより大変そうだ。彼は気落ちして額に滲み出た汗を拭い、小さなあばら家に戻った。

ティアンは、昨日、半ば出しかけていた所持品をひっ掴んで抱えた。プーパーは、新米ボランティア教師の手の中の衣服や石鹸、シャンプー、歯ブラシをしばし眺め、ほんの短く言葉を発した。

「ついて来い……」

ティアンは、この鬼みたいにでかい軍人を見失いそうになる。というのも、命令するが早いか、本人は踵《きびす》を返してさっさと出て行ってしまうのだから。外は強い日差しで目が痛いくらいだったが、おかげでパンダーオの崖の集落が初めてはっきりと見えた。実は、集落の人たちは、彼の小屋から何十メートルと離れていない場所に暮らしているのだった。家屋の多くが彼のあばら家と大して変わらない外観をしていた。

ティアンは、村人や小さな子どもと赤ん坊が皆、この土地特有の色鮮やかな珍しい織物の衣服を着ているのを見た。一方で、普通の洋服を着ている人もいた。彼は、この地域は外部の文化も融合させているのだろうと推測した。それで、自らの種族の文化を頑なに守っている他の集落に比べ、教育を推進したり受け入れたりすることが多いのだろう。

ティアンは気恥ずかしくなってくる。どちらへ歩いていっても、変わった動物を見るかのような視線でじっと凝視されるのだ。後ろを向けば、やはり人々が上目がちに、はにかんだ笑みを投げかけてきた。プーパーは、この辺りのどの家よりも大きな一軒の家で止まった。

「ここでシャワーを使わせてもらえるんですか」ティアンは無邪気に尋ねた。

「いや」

プーパーが答える。つくづく節約型の発言だ。

「ここで待っていろ。すぐ戻る」と言い放つと、彼は階段の上に消えた。放置された同伴者は、家の前の日陰に立って待つ。

若き隊長が下りてくるまで時間はかからなかった。親切そうな初老の男を連れている。

「ティアン、こちらはビアンレーおじさんだ。指導者で村長。ここでは〝カマー〟と呼ばれる」

年少の者の礼儀として、タイ式の合掌をする。「こんにちは」

「こんにちは、先生。昨夜はよく眠れましたかな?」

カマーと呼ばれる役職は、言い方を変えれば、賢者、でもあった。外部の人との間で連絡や連携をする人だ。カマーは土地訛りのあるタイ語を話した。

「はい、まあ大丈夫です。でも、蚊がすごいのですね」

ティアンはそう言って、わざとらしく赤く膨れた腕をさすってみせる。

「それは君が蚊帳の端をきちんと折り込まなかったからだ」

プーパーが口を挟んだ。その言葉にティアンは少なからず反応してしまう。

「そんなの知りませんでしたよ。マニュアルがあると言いませんでした？」

プーパーはしばし黙る。それから、昨夜と全く同じように真剣な顔で答える。

「……悪かった。君が本当に必要としているとは気づかなかった」

そこで、ティアンはある計略を思いつき、にやりとする。

「隊長、わざわざマニュアルを書くことはありませんよ。ただ、お時間を取っていただいて、教えて下されば十分です」

「分かった。夕方、君の家を訪ねる」プーパーは重々しく約束した。

今度は、ティアンが言葉を失う。……こいつはまったくどういう奴なんだ。が、言い争いを続ける前に、ビアンレーおじさんがプラスチック製の水汲みを新人ボランティアに向かって差し出した。

「先生、早く水浴びをしておしまいなさい。昼になったら、暑い」

ティアンはきょとんとしてそれを受け取った。水汲みの中を見ると、真っ黒な塊と、茶色の液体を詰めたペットボトルがある。

「これは何なんですか？」

「竹炭石鹸とソープベリーのハーブシャンプーじゃよ」

ティアンは、どうしてそれらをくれるのか尋ねる。そういう物は自分で持ってきているのに。

「後で〝シャワー室〟に行けば自ずと分かる」

プーパーが代わりに答えた。もしもよく観察していたなら、面白いことを待ち構えているかのように彼の唇がほんの少し持ち上がったのが見られたはずだ。

二人はビアンレーおじさんに別れを告げ、先へ進んだ。昼前の太陽が照りつけ、都会人の薄い肌がひりひりと痛む。ティアンは額と首筋を流れる汗を拭った。長身の男はまだ前進を続ける。ティアンは、そのぴったりとしたTシャツの下の逞しい背中を見つめた。まったく疲れを知らない。なんとも面白くない。

「どうしてここの人は、こんなに遠くにシャワー室を作るんだ？　帰り道には体じゅう汗びっしょりじゃないか」

プーパーは、後ろでぼやく声を聞いても何も言わなかった。ただ、指を上げ、森にほど近い一角を指した。ティアンは指の先を目で追い、あんぐりと口を開けた。そして勢いよく走り出し、前の若き軍人を追い抜く。断崖から流れ落ちる滝。その下へ広がる湖沼のほとりに言葉もなく立ち尽くした。

上から下へ岩を縫って流れる水の糸は限りなく清らかだ。澄み渡って、水底に堆積した落葉のかけらまですっかり見て取れる……。

が、そこで青ざめる。傍に立ち止まっているプーパー隊長の方を恐る恐る振り返って訊く。

「で、シャワー室は？」

それがどんなに愚かな質問かは分かっている。答えは明白なのだ。

「〝天然〟シャワー室だ」プーパーがとどめを刺した。

「ここで裸になって浴びろって？　ありえねえ！」

「それなら別の方法もある。近所の人にバケツと天秤棒を借りてくる。そして、水を汲んで、家の裏にある水甕《みずがめ》に入れたらいい」

冗談だろ！　と怒鳴るようにティアンは隊長の目を睨みつけた。プーパーは意図を理解したようだった。

「本気で言っている」

彼は頷いて念を押す。

「ここの人は誰でも、家で水を使いたければ自分で汲みに行くものだ」

「それじゃあ、なんで井戸を掘らないいんだよ……」

田舎ならどこでも井戸ってものがあるんじゃないのか？

プーパーは、公務を抜け出してこのトラブルメーカーのお守りをしてやっているのだが、やっていられないというように首を横に振った。

「国家予算は山の麓《ふもと》までしか届かない」

貪欲な禿鷹どもが我先にと喰らい尽くすからな。不憫な国民には届かない。

「でもあなたたちの基地はここから遠いのでしょう？　どうやって暮らしてるんだ？」

「軍には軍の予算がある。プラピルンの崖の基地では、井戸と、自家発電機からの電気を使っている」

ティアンはふてくされて鼻から息を吐き、ぼやく。「……不公平だ」

「それで帰《き》するところ、どうするのだ」

プーパーが強く訊く。

「君と一日中付き合っている暇はない」

ティアンは唇の端を曲げ、プラスチック水汲みの縁をきつく握り締める。これはグッチのサングラスとトッズの靴のどちらを買うか決めるより、難問だ。考え込み、あらゆる損得勘定をしてから、歯を食いしばって呟いた。

「……ここで浴びてもいい」

「竹炭石鹸とソープベリーのシャンプーを使うのを忘れないでくれ。ビアンレーおじさんに私が頼んで分けてもらった物だ。パーモークの滝は天然の水源で、この集落の人々の生活を養っている。君が外部から持ち込んだ化学薬品を混入させたら必ず悪いことになる」

ティアンは水汲みの中の天然素材の製品を眺め、嫌悪をあからさまにした。こんな真っ黒の石鹸と、ソープだかヘルスだか知らぬ名前のシャンプーで、僕の髪を洗えってか？

　プーパーは、気に入らなそうに眉をひそめた。

「生活の知恵を見下すな。先祖の代から受け継がれてきた物が新しい物に敵わないとは思うな」

「分かった分かった」

　富豪の息子は手をひらひらさせて話を打ち切ったが、そこでぴたりと固まる。はたと思い当たることがあったからだ。

「……僕が裸になって水浴びするよな。それであなたは、そこで監視してようと考えたりはしないよね」

「考えたりする」

　プーパーは断言した。

「君はまだ、村長から正式に紹介されたわけではない。つまり、まだここではよそ者だということだ。もしも君が村の娘とできてしまったりしたら、私は……」

　間違いなくクビだ。彼は最後の言葉を飲み込んだ。だが、相手はそんなことに拘泥してはいないようで、ただ騒ぎ立てている。

「いいか、隊長。いくら僕が男だからといって、友達でも家族でもない人の前で素っ裸になるなんてな、あなたが気にしなくても、僕にとってはめちゃくちゃに恥ずかしいんだよ！」

　果たして、彼は金持ち息子のデリカシーという理屈を理解する努力をしたようだった。タイ国軍大尉は寛容なところを見せた。

「……では、私は後ろを向いていよう。早く済ませるといい」

「感謝申し上げます！」

ティアンはあてこすり、大柄の隊長がそれほど離れてはいない木陰に歩いていって座るのを見た。彼は反対を向いて、一人大きく息を吐いた。衣服から嫌な臭いがする。思い切って色鮮やかなグラフィックのプリントTシャツを頭から脱ぎ放ち、スリムフィットのジーンズを長い脚から抜き取った。

これでパンツ一丁だ。この辺りの人たちに裸体をさらす勇気はなかった。暖かな風と太陽の熱気で、透き通るような白い肌が赤みを帯びてくる。関節に滲む汗で身体中に痒みを覚える。彼はまず、渓流に沈んで列をなしている石の上に足をつけ、それから、プラスチックの水汲みを引っ掴んだ。

ティアンはぎりぎりまで腕を伸ばし、息を止めて黒い石鹸を掴み、擦りつける。するとジャスミンの香りが鼻先に漂ってきて、こんな地元の製品など使ったこともない上流階級の息子でも、濁った灰色の泡を発する奴を引き寄せて嗅いでみずにはいられなかった。

……悪くないじゃないか。いい香りだ。

次にティアンは焦茶色のシャンプーのボトルを傾けてみる。それも想像していたようなものではなく、彼は我を忘れて頭へ擦り付けた。泡が顔を伝う。冷たい水が静かに流れていくのを体に感じる。楽しくなって横へ移動し、より深い窪みに入る。

浮き沈みする体を伝って、シャンプーの泡が心地よく流れる。馴染みのない物事について、さっきまで嫌悪していたのが嘘みたいだ。一方、樹の下で後ろを向いて待っている男は顔を下げ、時計に目をやっていた。仕事をさぼり過ぎてしまったぞ……。

プーパーは立ち上がり、迷彩色のズボンの泥を払った。元の場所へ戻ると、衣類の抜け殻と新品が岩の上に並べてあった。が、この辺りにいるはずの男の姿が見えない。プーパーは付近一帯に目を走らせ、探した。すると、ティアンが断崖の張り出した岩の下の滝壺へ泳いでいくのが見えた。

「ティアン！　行くな！　その下は渦だぞ」

彼は慌てて叫んだ。滝壺へ落下する水の勢いで、水面下では常に強い渦が発生しているのだ。お坊ちゃまに聞こえたのかどうかは分からない。が、その身体は、彼の眼前でいきなり水の下に消えた。もがき上がって息継ぎをする様子も全くない。

ほんの一瞬の躊躇の後、彼は敏捷《びんしょう》に軍靴を脱ぎ捨てた。

「馬鹿が！」

罵倒する声が一帯に響き渡り、滝の弾け散る音の中に消えた。

プーパーが飛び込むと、首都から来たお坊ちゃまは滝壺にうつ伏せに倒れていて動かない。手を伸ばして細い腰を捉えると、相手はもがき出して手をばたつかせた。振り回されたしなやかな指がわざとそうしているかのようにプーパーの顔じゅうを叩き、プーパーは、むせて何度も水を飲んでしまう。そこで、でたらめにばたついている手のひらを拘束した。さもないと、その白い腕が巻きついて自分の首を絞めてしまう。

タイ国軍の若き大尉は、背後霊を括りつけたまま泳ぎ上がらなければならなかった。水面に浮上し、自分の肩に顎を乗せている男を振り返る。ハーブシャンプーの甘い香りが宙を漂い、二人の距離の近さを実感する。

……鼻の高さ分だけの距離。

プーパーが滑らせるように目を上げると、きらきらといたずらっぽい光を帯びた二つの美しい瞳にぶつかった。けろりとしているティアンを見て、プーパーは頭に血が上りそうになった。彼は息を深く吸い込み、燻《くすぶ》る憤りを静める。

「君は、私を、騙したな」低く響く声で、一語一語確かめるように言う。

赤い唇が言い訳するように微笑を浮かべる。この微笑……。見つめると、一瞬、目が眩んでしまう。

「渦はなかったけど、本当に足がつっちゃったんだって」

「……そうかぁ」

プーパーは皮肉っぽく語尾を伸ばした。狼少年は笑いをこらえているが、くすくすという小声は漏れてしまう。

ティアンは大きな軍人をずぶ濡れにさせ、ほくそ笑んだ。しかも、蛭《ひる》のように吸いついて中隊長殿を向こう岸まで泳がせてやった。

「上がれ」

プーパーは短く命じ、岸によじ登ろうとしたが、シャツの裾を引っ張られてしまう。振り向くと、端整な美しい顔でティアンがいかにもわざとらしく嘆く。

「だから、足がつってるんだって」

プーパーは目をちょっと細めたかと思うと、いきなり身をかがめて腕を差し入れ、からかうのを止めない男の膝を持っていわゆるお姫様抱っこをした。強靭な脚はたちまち岸に上がり着いてしまう。腕の中で茫然自失しているほとんど裸の男は、ショックの限界を超えて固まっている。

心臓が不安定に脈打った。そして血液を吸い上げ、頬をぱっと赤く染める。うわ、やばい！

ティアンは怒りなのか羞恥なのかも分からず、拳で厚い胸板を突き放し、騒々しく抗議する。

「おい！　今すぐ僕を下ろせ！」

「おや、足がつってるんだろう？　私が家まで抱いて行ってやろう。どうだ」

鋭い眼球が見下ろしてくる。冗談を言っている風ではまるでない。

この体勢で歩くだって？　おまけにこの体に残っているのは、ずぶ濡れのパンツ一枚だけだ。どこで、もの考えてるんだ、この大木が！　ティアンは腕を回して首をきつく固め、相手の頭部を自分の近くまで引き下げてから耳の穴に向かって怒鳴る。

「もう治った。放せ！」

言い終えるか終えないかのうちに隊長は細い体を解放した。ティアンは、よろめいて倒れそうになる。その時、プーパーが自分の胸の中ほどにある長い傷痕を凝視していたのには気づかなかった。

若き軍人は、恨みがましい顔をしたが何も言わなかった。その代わり、かがんでタオルを掴み、女の心を揺さぶりそうな裸に投げつけた。

「……さっさと拭いて服を着ろ」

「で、あなたは？」

緑色のシャツと迷彩柄のズボンはすっかり水浸しで雫を垂らしている。ティアンは少し悪いことをした気がした。

「私は構わない。君を集落へ送ってから基地に戻る」

彼は気に留めていない様子で言いながら、もう一人の身支度を急がせた。

ティアンは後ろを向き、急いで体を拭く。寒さで唇が震え始めていたので、素早く新しい衣服を身につける。並んで集落へ帰る途中、ティアンは何度も隣のその顔を盗み見た。それはいかにもタイ人らしい彫りの深い美男子だった。手の中のタオルを差し出してやりたい気持ちに何度させられたか……が、その行為は押しとどめた。

……この胸の中で揺れ動く心臓の鼓動は、何なのだろう。
僕を混乱させるのはもうやめてくれ……トーファン。

05　嫉妬

あの無表情軍人が帰ってしまってから、ずいぶん時間が経った。が、外へぶらぶら出るなと、きつく言いくるめられていた。というのは、この集落は長きにわたって古い習慣を守り続けているアカ族のものだからだ。

集落へ続く道には、〝ローコーン〟と呼ばれる門がある。それは堅木か長い竹で作られていて、上部に梁が渡され、独楽《こま》や鳥などの模様が彫り込まれていた。まだ許しを得ていないよそ者は、この集落に入ることは決してできない。慣習により、集落の人が気づいてくれるまで待つか、または、大声で集落の人を呼んで迎えに来てもらわなければ、種族の一員となることは認められない。

しかしティアンは、昨夜に到着した。しかも裏側から入ったのだ。もし、しきたりに厳しい他の地域だったら、この富豪青年ミスター・ティアンは、おそらく森の露に濡れながら眠るという経験を強いられたに違いない。

幸運だったのは、パンダーオの崖の集落は考え方がオープンだったことだ。そして外部の世界から変化がもたらされることも、ある程度は受容していた。そこで、今日の夕方、新任ボランティア教師のために〝魂呼びの儀式〟を行うということにしてくれたのだ。

滝からの帰り道、カマーのビアンレーおじさんは、自ら彼を宿舎まで送ってくれた。歩きながらビアンレーおじさんが聞かせてくれた話によると、プーパー隊長の頼みで、彼は集落の青年たちに水を担がせて運ばせ、水甕《みずがめ》をいっぱいに満たしたということだった。また、鶏が鳴き始める時刻から飯も煮炊きしたという。それなのに、なぜ、集落の人たちが洗濯に使っている滝壺まで先生を連れて行ったのか分からない、というのだ。

ティアンはそれを聞き、はらわたが煮えくり返った。なんと、実は彼の方が先に意地悪をされていたのだ。彼は歯を噛みしめ、皮肉を言った。

「きっと、僕に運動をさせてくれようとしたんでしょう」

「……もう一つ、不思議でならんのは、プーパー隊長がこんな風に自ら手を煩わせてボランティア先生の暮らし向きを世話されてるということです。ティアン先生は隊長と元からお知り合いだったのですか?」

この質問には、青年は黙り込むしかなかった。彼自身は知り合いではない……。が、彼の心臓は、れっきとした知り合いなのだ。ティアンは返事の代わりに首を横に振った。宿舎のあばら家に着くと、彼は、温かく蒸したもち米を分けてくれたビアンレーおじさんの親切心に礼を言った。それには干し牛肉も付いていた。今夜の宴会までの腹を満たすためにということだった。

どこへも行けないので、ティアンは自分の宿舎の周りを探索することにした。まず、あばら家の裏手へ回り、気になっていた陶器の水甕のトタン蓋を開けてみる。その中に透き通った冷水が満たされているのを見て、その端整な顔はたちまち不機嫌になった。内心、あの隊長も気が利くとは感じていたが、騙されて水浴びごときに一キロ近くも歩かされたことを思うと、どうしても悪態をつきたくなってくる。

「くそ！」

彼は蓋を強く投げつけるように戻して憂さを晴らした。急いで帰って免疫抑制剤を飲んでおいて良かった。さもなければ、心が震えて手足が萎えてしまっているところだ。

今では彼の身体も徐々に良くなっているが、無理に何かをし過ぎるとやはり症状が出てしまう。

家の高床下に戻ると、竹製の床机《しょうぎ》の上に、七輪が置いてあるのを見つけた。それから、深底鍋、変形した中華鍋、もち米用の蒸し器、あと、彼には何に使うのだか分からない蓋のある筒形の木の壺のようなもの。鍋底の外側は薪で焦げて黒くなっていたが、中は清潔で、誰かが洗って準備しておいてくれたものと思われた。

……いや、これは、自分で食事を作れと暗にほのめかしているのだろう。ティアンは脱力して崩れるように床机に腰を下ろした。子どもの頃、ボーイスカウトで班の食事係を押し付けられたことはあるが、飯は生煮えだし、卵焼きは焦げ、フライドチキンはめちゃくちゃになる始末だった。以来、彼に何かをさせようとする人は誰もいなくなった。

これでは飢え死にだ……。ティアンはうなだれた。今すぐ荷物をまとめて山を下りたい衝動に駆られた。

彼はぼろぼろの梯子段を再び上ったが、中には入らなかった。張り出した小さな縁側に座って脚をぶらぶらさせ、柱に寄り掛かる。涼風が温かな陽光を纏《まと》い、不思議と心を落ち着けてくれる。座って山頂の樹々が揺らめくのを眺めながら、彼は知らず知らずのうちに微睡《まどろ》んだ。すると、聞き覚えのある声が彼を呼んだ。

「先生……ティアン先生」

ヨート曹長だった。今日は、上衣には緑がかったカーキ色のTシャツだけを身につけていた。迷彩服の内側に着るシャツだ。すでに見回りを済ませてきたようだった。

ティアンはしばらく寝ぼけ眼をこすり、目を覚ました。「曹長、何か用かい?」

「五時です、先生。もう集落の広場では魂呼びの準備ができていますよ。ご一緒しましょう。遅れてしまいます」

都会の青年は頷き、少し億劫に思いながら、下を向いて愛用のスニーカーを履いた。

「……こんなに大げさにしなくてもいいのに」

「アカ族の慣習なのです。彼らは親切心でやってくれます。こちらはただ受ければいいのです。

先生は何も難しく考える必要はありません」

　ヨート曹長は、相手の格好を見て微笑んだ。

「こう見ると、先生はぐっとお若く見えますね」

　ティアンはそれを聞いて気恥ずかしくなり、くしゃくしゃの頭髪を手で撫でつけた。普段、誰もが見ていた彼は、ジェルで髪をセットした貴公子で、常に非の打ちどころのない完璧なスタイルの服装をしていた。だが、ファッションの鎧を失ってしまえば、彼もただの平凡な男の一人に過ぎないのだ。

　彼は大人の人に可愛いと笑われ、どんな顔をしていいのか分からなくなってきた。すべすべした顔が羞恥でほのかに赤く染まる。良策は話を変えることだった。

「どうして集落をまっすぐ突っ切らないんだい」

　ヨート曹長は彼を連れ、集落の裏へ戻るように歩いていたのだ。

「先生は、集落の正面で儀式を受けなければなりません。ですから、少し遠回りをしていただかなければならないのです」

　日が暮れ始めていた。橙色の光が山頂に淡く広がり、凍えるような冷気が辺りを覆った。ティアンはジャケットをきっちり合わせて縮こまった。この地の気温は急速に下がる。今、彼の身体は動いているからかなり温まっているが、もし立ち止まったら、寒さで凍ってしまいそうだった。

年配の曹長は、ティアンを坂道のところまで連れてきた。その道は石をよく砕いて敷いてあるようだった。そして、上に向かって指さした。

「さあ、先生はここから登って下さい。遠くはありません。一キロ半も行けば、集落の門が見えます。そうしたら、先生は、入れて下さいと叫べばいいのです」

「曹長は一緒に行かないのかい？」

「お供することはできません。ここからは、先生が一人で行かなければならないのです。自分は森を横切って、上で待っている集落の人たちと合流します。どうぞ変なものを連れてきませんように」

ヨート曹長はそう言ってくるりと振り返り、森の近道へ歩いて行った。生い茂った森で、よく知っている者でなければ迷ってしまいそうだった。

一人で残されたティアンはどうしたらいいか分からず、しばらく頭を抱えた。が、自分を励ますように頬を強く平手で叩いた。

よし！　こうなったら、行くしかない。

新人ボランティア教師は歩を進めた。体に纏わりついていた冷たい風と薄い霧が、ふわりと宙を漂う。闇が忍び寄り始めていた。道の左右は、強風に煽《あお》られた背の高い草が擦れ合い、その音は恐ろしげな想像をかき立てた。彼は足を速めた。ほとんど暴走のようなものだった。

上り坂の果てに真っ黒な影が見えてきた。近くまで歩み寄ってみると、それは丈夫な木の柱でできた大きな門だった。上部は、刀剣や鳥々、そして独楽の彫刻を施された太い梁になっている。門の両側の柱には、一組の男女の彫刻があった。

ティアンはその門の下の闇を見つめた。だが、そこに見えたのは、奥の方まで無数に続く同じような形をした樹々ばかりだった。周囲は完全な静寂に包まれていた。誰も待ってなんかいないじゃないか……。

不意に、かつて見た少数民族の信仰についてのドキュメンタリーを思い出し、身の毛がよだった。それは〝悪霊と神秘〟の信仰だったのだ。

ティアンは慄然《りつぜん》とした。なにしろ真っ暗闇の中で、一人ぼっちなのだ。神経があまりに怯えて、叫ぶために用意しておいた声が喉に詰まってしまう。ティアンはきつく目を瞑《つむ》り、自らの肉体に爪を立て、大声を出して心を静めた。

「い、い、入れて下さい」

……静寂。全くの無音だ。

それから何秒としないうちに、意味の分からない山の言葉で囁《ささや》く声が聞こえてきた。それらの声はこの場所を取り囲む谷々に谺《こだま》した。右へ左へ谺が飛び交い、四方八方で羽音のように反響した。

お化けだ！

ティアンはすっかり腰を抜かしそうになったが、その時、聞き覚えのある低音の声がした。

「それしか声が出ないのか！」

たちまち恐怖が腹立ちに取って代わる。彼の最後の神経がぶち切れる。くそ！　ここは軍隊かよ、プーパーの野郎！　ティアンは何も考えずに叫び返した。

「早く出てこい！　この寒さ、キンタマが縮み上がるじゃねえか」

再び静寂が降りた。どうやら人々は真意をはかりかねているらしい。それから、左右の鬱蒼《うっそう》とした樹林に大きな笑い声が上がった。松明《たいまつ》が灯され、辺りがすっかり明るくなる。恐怖が消え、この時間の凍えるような空気に温かみが加わった。

村の男たちは手織りの衣服を纏っている。藍染めの長袖で、様々な色の糸を使った刺繍が裾に三列の線をなしている。彼らは、友好的な笑みを浮かべて出迎えた。

だがティアンは挨拶する気になれず、ただ苦々しく微笑みながらさっさと集落に入ってしまった。この集団の中では、彼だけが他の人とは違う異物のような格好だ。よく見ると、プーパー大尉、ヨート曹長、それにまだ面識のない軍人が二、三人立っている。

何かを言い出すより先に、カマーのビアンレーおじさんと集落の青年たちがティアンを広場に導いた。その中央には大きな焚き火が炎を上げている。女性や子どもたちはここで待っていた。彼らも完璧に着飾っている。男たちのそれに似た模様の上衣とスカートだけでなく、房飾りの付いた尖った帽子も被り、銀細工で飾っている。それで、体を動かすと鈴のようにチリンチリンと鳴るのだった。

アカ族の集落で魂の指導者に当たる〝ジョウマー〟という役の者が、異邦人である青年の方へ進み出る。厳粛な顔つきの上を埋める数々の皺《しわ》は威厳に満ちていて、ティアンは息苦しさを覚える。老人は、節くれだって醜く曲がった杖で彼の目の前に円を描く。そして、しわがれてはいるが力強い声で、何か呪文のようなものを唱えた。

呪文の最後のところで、その表面のごつごつした杖が彼の頭頂を切り裂くように振り下ろされた。ティアンは面食らって思わず首を縮め、頭上で手を交差させて防御する。その時、誰かの手のひらが背中を軽く叩いた。

「怖がりなさるな。ジョウマーはただ魂呼びの儀式をしているだけじゃ」

ビアンレーおじさんが可笑《おか》しそうに微笑んでいる。だがティアンは、恐ろしげな仕草に小便をちびりそうだ。

意味不明の言葉で何やら言われたが、都会の青年も少し懸念をやわらげ、腕のガードを下ろすことにした。もちろん、杖の先はすぐに彼の額中央へ下りてくる。が、痛くはないな……。目を片側ずつそろそろと開けて見ると、老人が微笑んできた。思ったような恐ろしい人でもないらしい。額に軽く触れられる。何かねばねばした濡れたものを付けられたようだ。

「赤い粉です。森の悪霊を退散する印としてジョウマーが付けてくれなさる」

ビアンレーおじさんが再び説明役を買って出る。ティアンはほっとして息を吐いた。

それからは音楽の演奏だ。主旋律はラジェーという変わった形の木の笙《しょう》（管楽器の一つ）、それに三穴の縦笛が寄り添い、鼓に似た打楽器も加わる。新人ボランティア教師の魂呼びの儀式とはいえ、集落の男女が集まって娯楽に興じる良い機会だ。

彼らはこぞって焚き火の周りに輪を作り、歌ったり踊ったりする。それはティアンにボーイスカウト時代を思い出させた。カマーのビアンレーおじさんは地域の貴賓を従え、手首にお守りの糸を結んでくれた。普段、結婚式などでよく見るのは白い聖糸だが、ここではカラフルな毛糸を編んだもので、その模様もまた美しい。

ティアンはぎこちなく手を挙げてタイ式の合掌をする。知らない人から祝福を受けるのにはまだ慣れていない。おまけに、言葉も生活も違う。が、最後の人が白を織り込んだ赤い房飾りを手に歩いてきた時、彼は固まった。

門の前でえらい長く騒がされた恨みで、つい余計な口を利いてしまう。

「どこの家の娘さんと結婚できるのかな？　集落の人たちが手首にこんなにたくさん結婚式の聖なる糸を巻いてくれるなんて」

黒い瞳がちらりと睨み、かがみ込んで赤い毛糸を彼の細い手首に巻いた。

「そりゃ、くれてやるという家はたくさんあるだろうな。が、私は認めない」

抑揚のない短い返事。憎らしくて、足がむずむずしてくる。

「出しゃばらないで下さいよ。誰も何も言わないですよ、隊長」

プーパーは黙った。くだらない話でやり合う気はないようだ。彼は丁寧に毛糸を結び、解きやすいように緩く結び目を作ろうとした。が、そのせいで糸が滑り、なかなか結べない。ティアンはくたびれてきて、うっかり口を滑らせる。

「構わないよ。きつく結んでしまってもいい」

その時、聞いたことのない柔らかな低音の声が割り込んできた。

「そうすれば、来世まで繋がっていられるから？」

背の高い細身の男が脇に立っていた。肌は抜けるように白く清らかだ。彼は、シルバーフレームの眼鏡を通した切れ長のいたずらっぽい目で、手首の糸を見つめ、大声を出す。

「しかも赤い糸だ。おい、プー！　お前、この子を予約する気だな」

そう言って、腹をよじって笑う。

若き隊長は手首を結び終え、怖い顔をしてすぐに友人を咎めた。

「くだらないこと言うな。行っちまえ！」

「行かねえよ！」

追っ払われた男は言い返し、体をボランティア教師の方へ向ける。貴公子風のエレガントな外観だ。彼は意味深な微笑みを浮かべる。

「こんばんは、ティアンくん。僕の名前はワサン。この鬼みたいな野郎と同じ基地の軍医をしてる。他の人はニックネームでドクター・ナームと呼んでいるから、それでもいいよ」

この大きな長身のプーパー隊長が、尋常の人間を超越していると思っていたのは僕一人じゃなかったんだな。ティアンはこの軍医に対し、たちまち親近感を覚える。この医者の雰囲気がどこかテーチンに似ていたからかもしれない。もっとも、こっちの方が手強そうではあるが。

「こんばんは、ドクター・ナーム」彼は尻込みすることなく合掌の挨拶をした。

プーパーは、腕組みをしてこの小生意気なボランティア教師を見る。にこにこと微笑んでいて憎たらしい。私といる時は、やかましくて鞭で叩きたくなってくるくらいなのに。彼は深くため息をつき、言い放つ。

「行くぞ。ビアンレーおじさんたちが早く食事にしたがっている」

プーパーは、細長い竹の床机の方へ顎をしゃくる。集落の中央文化広場の端に備えられた一隅には、長老たちが座っていた。


カマーのビアンレーおじさんが、床机を持ってきて追加するよう命じている。出席した軍人たちが座れるようにするためだ。プーパー隊長とワサン医師、ヨート曹長を除くあと二人は、斥候《せっこう》、すなわち義勇兵だ。彼らの多くは地元出身者である。なるほど、この集落の人と親しそうに見える。言葉が同じだからかもしれない。

若き隊長もプラピルンの崖の基地に何年も所属しており、地域の人々ともずいぶん長く親しくしてきたので、ほとんどこの場所の一員として溶け込んでいる。集落の人たちがプーパー隊長を尊重し、貴賓として手首に糸を結ぶ役を任せたのも不思議ではない。

　それに、先ほどヨート曹長がこっそり教えてくれたところによると、この地域のアカ族たちがタイ語の学習をし、多少の読み書きもできるようにもなったのはプーパー隊長のおかげなのだそうだ。町で商売をする時にも、以前のように騙されることは少なくなった。

「……四年前、最初に学校を建てた時はたくさんの村人が勉強に来ていました。多少の知識ができ、頭の柔らかい若い人たちは仕事を求めて、ぞろぞろと町へ下りました。隊長ご自身でさえ、自分がしたことが正しかったのかと悩みました。このプロジェクトは何度も廃止されそうになりました。可哀想だったのは、勉強がしたい不憫な子どもたちでした」

「町に下りて仕事することのどこが悪いんだ？　収入が増えて楽になるじゃないか」

　ティアンは理解できないというように訊き返した。

　世俗に通じたヨート曹長はにっこりと答えた。

「もし若者たちが皆出て行ってしまったら、年寄りと子どもしか残りません。それで〝集落〟といえるでしょうか。この学校設立の目的は、僻地の人に教育の機会を与えることでした。そうすれば新世代の人が協力してふるさとの開発をし、資本家や仲介商人たちに搾取されないようになるからです。少なくとも、タイ語での伝達はできるようにはなりますから」

「彼らもすぐに帰ってくるかもしれない」

　彼は意見した。が、楽観的に過ぎるようだった。

「農園をやるより楽に金が手に入って、誰が帰りたいと思うか」

答えたのはヨート曹長ではなく、今の会話に名前が登場していた人だった。

「都会のきらめく光は恐ろしい。山や森の民で目を眩まされない人はいない」

プーパーは、淡いブラウンの瞳を奥深く覗き込んだ。

「それに私は、ネオンのない山や森に耐えられた都会の人というのを未だ見たことがない」

直球が突き刺さった。ティアンは視線を外し、村長の妻が運んできた地元の料理に目をやった。

竹でできた器には、目にも美味しそうな料理がずらりと並んでいる。鶏を焼いたもの、茹で野菜を添えた唐辛子のディップ、透き通ったスープ、白米にもち米。見たところ、彼の食べられないような変わったものはなかった。

「今夜の料理は、家内が先生のために特別に用意したものでしてな、唐辛子のディップもそんなに辛くはありません。召し上がってみて下さい」

カマーのビアンレーが、茹で野菜の鉢を今夜の大切な客の前に差し出した。

ティアンは、何か考えるように少し黙った。それから、その中で一番親しみのある見かけの野菜を取り、唐辛子のディップに浸した。外見はスパゲティのミートソースのようで、味も似ている。彼はそれを咀嚼《そしゃく》し、味を称賛した。

「とても美味しいです。……ところで、村長はどうして僕が辛い食べ物を苦手と知っていたのですか」

ビアンレーは「それは、隊……」と、昨日の種明かしをしようとした。が、その前に低い声が割り込んでくる。

「アカ族の料理は唐辛子をごろごろ入れる。君のような都会人が食えるか」

プーパーは年かさの村長を振り返り、意見を求める。

「……ですね、カマー」

「そうじゃ。辛いものを食べつけてなければ、はらわたがひっくり返っちまうわい」

ビアンレーは、答えているうちに先ほど自分が何を言いかけていたか忘れてしまった。


「ティアンくん。焼き鶏とビールのチャンポンに行きましょう」

酔いが進んだワサン医師が隙間から顔を出し、呂律の回らない声で言った。ティアンの肩をいきなり抱き、プルトップを開けたビール缶を渡してくる。

「朝からわざわざ部下を町にやって買って来させたんだ」

ホップの匂いを嗅いだだけで涎《よだれ》が垂れる。元・遊び人の彼は、極めて惜しいことだと思いつつ、抑制力を利かせてその魔法の水を断らなければならなかった。「僕は飲めないんです」

「冗談だろ……」

ワサン医師は静止して腕の中の男を改めて見る。どう見ても真面目なタイプの学生には全然見えないのに。あるいは、自分の目がおかしいのか？

「冗談ではないんです。僕は、ア……アルコールアレルギーなんで、飲むとじんましんが出て息ができなくなるんですよ」

ティアンは苦笑を浮かべ、俯いてもち米を引きちぎり口に入れた。というのも、無表情軍人が胡散臭そうに見つめてきたからだ。

「おい医者。お前もあんまり飲むな。弱いくせに抑えられんのか」

プーパーは、細い肩に食らいついていた友人の腕を引き剥がした。が、力を入れ過ぎたらしく、酔っ払い医者はよろめき、頭を強靭な肩に寄り添わせてしまう。

「なんでオレの頭は回ってるんだ」

ワサン医師の白い顔が真っ赤になっている。灯りに照らされると、きらめいて何ともいえない魅力があるように見えた。

若き隊長は首を横に振り、口元に薄く笑みを浮かべている。心配しているようにも、また同時にうんざりしているようにも見える表情だ。新米ボランティア教師は偶然顔を上げ、二人が寄り添う瞬間を目撃してしまった。口の中の鶏を吹き出しそうになる。

はあ……[4]『ブロークバック・マウンテン』だ！

が、ティアンはその恐怖の想像を脳裏から振り切った。というのも、プーパーがすっかり酔い潰れた友人の頭をヨート曹長の方へ押し返し、重ねてこう罵倒したからだ。

「誰だ。お前にビールを買ってきやがったのは。束にして指導してやる」

　ワサン医師はとうとう体の欲求に敗北し、眠り込んだ。迷惑なのは友人で、宴が果てる前に、彼を引きずって基地に戻らなければならなくなった。大きな体の軍人がもう一人を担ぎ上げて出ていくのを見て、ティアンは何か言いたげに口を開いた。が、結局、二つの影が闇に飲み込まれた後も、それを口から発することはできなかった。

　僕の家を訪ねる約束はどうなったんだ……。

　唇を真一文字に引き結んだ。ああ、腹立たしい！　彼は当てつけのようにスープの碗を持ち上げて啜り、かっかとする頭を冷やす。ビアンレーの妻が顔をほころばせ、ビアンレーが手を叩いて喜ぶ。こしらえた数々の料理に、新任の先生が舌鼓を打ってくれたと思ったらしかった。

　腹がはちきれそうになり、ティアンは下を向いて時計を見た。時間はちょうど九時だった。辺りを見回してみると、村人たちは三々五々帰途につき始めている。翌朝も鶏の声で起床して農園に入るのだ。残っているのは年寄りばかりで、彼らは歓談しながら蒸留酒を飲んでいた。

　ヨート曹長とあと二人の斥候は完全に酔っ払い、匍匐《ほふく》前進の姿勢になりかけていたが、どうすればいいか分からないので、集落の人たちに任せることにした。ティアンは、タイ語のあやしくなりかけているビアンレーに辞意を告げた。それから、文化広場を静かに出た。

　このアカ族の村は大きくはなかったが入り組んでいて、ティアンには宿舎への帰り道が分からなかった。彼は、松明が一定の間隔で明るく灯っている道を辿り、ようやく自分のちっぽけな小屋の屋根を見つけた。道を折れ、他の人の家並みが見えなくなってしまってから、彼はふと足を止める。

……家から灯りが漏れている。許しも得ないで上がり込むとは、どこのどいつだ！

本当に強盗が小屋へ侵入しているのなら、彼に危険が及ぶこともあるのだが、衝動でそんなことも忘れ、ティアンは急いで家に駆け上り、竹の扉を力いっぱい開け放った。そして、そこで見たものに彼の体は静止してしまう……。

ハリケーンランタンの前にかがみ込んでいる侵入者が、ゆっくりとこちらに顔を向ける。

「隊、隊長……」

ティアンは口ごもりながら相手を呼ぶ。プーパーが眉をひそめる。幽霊でも見たかのような顔だ。

「ベンジンオイルを補充しておいてやった。知っておいた方がいいのだが、ランタンは使わない時には消せる」

彼は消し方を実演した。相手が聞いているかどうかなんて気にしてもいない。

唇に上ってくる笑みが抑え切れない。ティアンは手で顔を二、三回ごしごし擦り、平常心を呼び返した。それから小さく尋ねた。

「なんで来たんです？」

「オートバイで来た」

プーパーは、お決まりのジョークで答えた。相変わらずぶっきらぼうな言い方だったが、今はこれっぽっちの腹も立たなかった。

「ドクター・ナームと基地に戻ったんですよね？」

若き隊長は少し沈黙し、短く答えた。そして、それを耳にした者の心臓は、鼓動を乱した。

「……私は君と約束していた」

「で、ドクターは？」

「酔い潰れて、部屋で吐いている頃だろう」

プーパーは不機嫌を漂わす。

「そんなに気にかかるか？」

「あなたの方が」とティアンは言いかけた。が、憎らしくなって唇を曲げる。本当は、そちらの方が気にかかって、顔に出てしまいそうなくらいだ。

若き隊長は、この変人のお坊ちゃまの言いたかった主旨をしばらく検討していたが、合点がいったように言う。

「……君は、私が約束を破ったと思ったのか」

意地悪くもそこを突つかれ、すべすべした頬が一気に赤らむ。口を何度かぱくぱくさせ、わめき立てる。

「何だって？　僕が？　あり得ないね。本当に脳みそで考えてるのか？」

憑かれたように激した姿を見て、プーパーは首を小さく横に振り、ぶつぶつと呟く。

「本当にガキだ……」

ティアンは恥ずかしくなる。穴があったら入りたい思いで慌てて話を変える。次のラウンドで優位に立つことを考える。

「ほら、あなたは蚊帳《かや》の吊り方を教えてくれると言ったじゃないか」

大きな軍人は生真面目に立ち上がる。そして蚊帳の弛んだ糸を引く。

「簡単だ。四隅ともぴんと引っ張って結べばいい」

彼は、世間を知らない新人先生にやらせてみようとする。が、相手は動かない。

「僕がやったらめちゃくちゃになる。それに古いし。持ってるうちに破れそうだ」

「それなら私がやろうか」

プーパーは尋ねてはみたが、うんうんと頷いてくるとは思っていない。

プーパーは大きく息を吐き、慣れた手つきで蚊帳の前面をぴんと張った。

「寝る時には、蚊帳の裾を全部マットレスの下に挟むんだ。そうすれば虫が入らない」

「目が見えないのか？　虫よりでかい穴があっちこっちにあるじゃないか」

ティアンは小声で文句をつけたが、耳のいい相手は振り返った。

「何だって？」

「別に」

彼は厄介を避けて手をばたばたと振る。

「……で、次は？」

プーパーは不審げな視線を送ってくる。が、説明を続ける。

「起きたら、蚊帳の裾をこうやって上にかけておく。そうすれば邪魔にならない」

思った通りだ。実演してくれる。くすんだ白の蚊帳の裾をすっかりまくり上げ、上の四角い枠にかけた。

「それで蚊帳の裾を下ろしてマットレスにしまい込んだら、蚊を中に閉じ込めるようなもんじゃないか」

「なに、先に布団を振って追い出しておけばいい」

プーパーは掛け布団を空中で振り、四隅の蚊帳の裾を再び下ろしてみせた。それから、端をマットレスの下へしまい始める。

「……まず三辺をしまっておくことだな。寝る時になったら、残りの部分を押し込む。そうすると開け閉めする時に大きく開かずに済む」

軍人ってのは、なんて細かいんだ！　まるで僕の父さんだ。定年になったってのにまだ父さんの掛け布団ときたら、朝になればベッドの足元にきっちりと折り畳まれている。ティアンは、目の前の非の打ちどころのない出来栄えにヒューと口笛を吹いた。

「助かったよ、隊長。わざわざ蚊帳を吊ってくれて蚊を追い出してくれて。僕は顔を洗って歯を磨くことにするよ。家の裏でね。水が〝満杯〟だからな」

彼は最後の部分を強調して言った。ビアンレーおじさんから全てを聞いている、という意味を込めて。

それでプーパー隊長はこのいたずら坊主にわざとあれこれやらされたのだと思い至る。そしてさらに、彼がわざと遠くの滝まで水浴びに行かせたことに一矢報いた発言にも気づくが、その頃には本人は鼻歌交じりに外へ出ていってしまっている。

プーパーは彫りの深い顔を歪め、暁の寺（ワット・アルン）の鬼のごとく牙を剥き、大きな手の中で拳を固く握る。……この野郎、本当だったら、あの薄っぺらい小屋の床をぶち抜いてやるところだ。

とうとう、ボランティア教師の仕事が実際に始まる日になった。カマーのビアンレーおじさんは朝の七時から朝食の入ったピントーを持って来てくれた。そして、都会の青年が昨夜と同じ服のままであることに気づく。ティアンは苦笑を返した。努力して水を浴びてみようとはしたのだ。が、水甕の水は飛び上がるほど冷たく、手のひらが悴《かじか》んでしまい、結局、洗顔と歯磨きしかできなかった。

「ここの気候は涼しくていいですね……」彼は照れ隠しに言った。

「まあすぐ慣れます、先生。来月はもっと寒くなりますでな」

「これよりもっと寒いなんて」

ティアンは顔を思い切りしかめた。いつも家でシャワーを浴びる時には温水器を使っている。が、ここでは設置しようにも電気すらないわけで……。一体、何日暮らせるものやら。

「年によっては最低で、ほとんど氷点下になりますよ、先生」

ビアンレーはからかって脅した。寒がりのティアンは、自分の体を抱くようにしている。

「で、ここの人はどうしてるんです？　水浴びしないとか？」

村長は声に出して笑った。

「浴びなかったら皮膚病になってしまいます。わしらは湯を沸かして混ぜ、温かくしとります。先生のお家の床下にも七輪がありますでしょう」

「……見ましたが、使い方が分からないですし」と、彼は素直に告白した。

「心配は要りません。先生がご自分で点火できるよう教えてくれと、わしからプーパー隊長に言っておきますよ」

あの大きな軍人の名前が出て、ティアンはたちまち身を固くした。

「どうして彼なんです？　おじさんが教えてくれてもいいじゃありませんか」

「隊長は先生に良くしておられるようですからな。お役目を横取りするようなことはしたくありません」

ビアンレーは冗談めかして言った。が、それを聞いて滑らかな肌の顔は、さらに不機嫌になった。ティアンはこの話を続けるのが煩わしくなり、顔を下に向け、舌を火傷するのも構わず熱々の粥を急いで口に押し込んだ。野菜がたっぷりと入っている。

ビアンレーは新しいボランティア教師を連れ出し、小さな学校のある場所に向かった。そこにはパンダーオの崖の集落の他、近隣の集落の子どもたちが一緒に通っていた。彼らは高い崖を徒歩で一キロも登り、通ってきているのだ。

ずいぶん歩いたところで、調子外れに国歌を歌う声が遠くから響いてくるのが聞こえた。四角い布が前方のこんもりした茂みの上方をはためく。ティアンは思わず立ち止まってじっと見上げた。

タイ国旗だ……。色褪せた年代ものの布が簡単な竹製のポールの頂点へゆっくり上っていく。しょっちゅう目にする見慣れたものではあるけれど、その本当の意味を知っている人は一体どれだけいるだろう。

「わしらの先祖は国土をこよなく愛しておりました」

ビアンレーも直立し、誇らしげな顔をしている。

「タイの国土がなければ、わしらには住むところがありません。永遠に庇護を受けることのない無国籍の流浪の民となり果ててしまいます」

これが……もうひとつの世界、か。小学校からハイスクールまで、学校では毎朝、かんかん照りの暑さの中で直立を強いられ、国歌を歌わされた。彼はこのような規則ずくめに猛烈に反発し、おかげで学校生活は困難を極めた。

ティアンはそれに感動したこともなければ、関心を持ったこともなかった。友達と画策し、国旗掲揚をさぼってさえいた。

だが、僻地の人にとっては、このタイ国歌を歌えるのは限りなく喜ばしいことなのだ。

「行きましょう。子どもたちが待っています。今日はとてもたくさん来ていますよ」

パンダーオの崖の村長が彼の薄い背中をぽんと叩いた。さあ前へ進めというかのように。

学校という名は付いているものの、それはブルジョア青年の想像とは全くかけ離れたものだった。平屋の木造校舎は、竹製で藁葺き。竹を編んで組み上げた壁の三面は、窓が広くくり抜かれていて日光が差し込む。もう一面には、それほど大きくはない黒板が設置されていた。床には茣蓙《ござ》が敷かれ、中に木を粗く組んだだけの机が十脚近く置かれている。椅子はない。床に並んで胡座《あぐら》をかかなければならない。

子どもたちが、外の国旗掲揚台の前に背の順に整列していた。昨夜見かけた二人の斥候も立っている。彼らは一人残らず、新しい先生にじっと目を注いでいた。それらの澄み切った瞳には希望の光が強く宿っていて、ティアンはくすぐったい思いがし、助けを求めるかのようにビアンレーを振り返った。

「あの……ビアンレーおじさんは子どもがたくさんと言いました。僕には、どう数えても二十にも満たないようにしか見えないのですが」

「何を仰る。これが、とてもたくさん、なのですよ。この子どもたちは両親の仕事を手伝わねばなりません。学校に五人と来られない日さえあるのです」

　ティアンはふんふんと頷き、村長に続いて国旗掲揚台の横に立った。ビアンレーがアカ族の言葉で挨拶をする。全然理解はできないが、自分の紹介に関することらしいのは分かる。それから、子どもたちがわっと学校に駆け込み、それぞれきちんと決まった場所に座る。

「中へ入りましょう」

　ビアンレーの案内で黒板の前に立つ。その近くの本棚の上にチョークボックスが置いてある。

「先生、自己紹介をどうぞ」ビアンレーが脇を見て言う。

　ティアンもそちらを向き、囁く。「僕はタイ語しか話せないですよ」

「この子どもたちは、聞けば大体分かります。とても流暢《りゅうちょう》に喋る子もいるのです。特に上手なのは、あの体の一番大きな子です」

　ビアンレーは顎をしゃくり、教室の後ろの方に座っている男児を指した。年齢は、どう見ても十五歳以下というところだ。

　ティアンは首筋を手で撫でた。どうも喉の辺りが乾き切って、うまく声が出ないような気がしたのだ。実は、自分が〝先生〟だなんて、心でも体でも全く思ってはいなかった。だが、ここでは自分のことを〝先生〟と他人に紹介しないといけないわけか。

「僕……えー、先生は、ティアンといいます。バンコクから来ました。よろしくお願いします」

「おはようございます！」と反応する声が返ってくる。目の前にいる子どもたちの声が混じり合い、不思議と舞い上がるような気持ちになる。

「君たちもティアン先生に自己紹介しなさい」

ビアンレーは今度はタイ語で言った。アカ族の子どもたちが、次々と自分の名を名乗る。正真正銘タイ語の名もあれば、土地の言葉のような名もあった。これについては後でビアンレーが教えてくれたのだが、一部の子は親が町で働いているため、親が子の出生届にタイ語の名前を記載したがるのだということだった。

「ティアン先生。では、わしは失礼します。普段の終わりは三時ですが、もし先生が放課後に課外活動をされたければ、子どもたちと約束してしまって構いません」

ビアンレーは、これが初舞台と思われる新米ボランティア教師に微笑みかけてエールを送り、手を振って出て行った。ティアンは十数人もの好奇心溢れる視線に囲まれ、これは厄介だという顔をする。

「えー……」

何から始めればいいのかさっぱり分からない。黒板にタイ語のあいうえおでも始めから終わりまで書くか？　そんなの最後に書いたのは前世だ！　子音の正確な順番など、誰が覚え切れる。

それから次の行動へ移るより先に、一人の女の子が透き通った声を上げた。

「ティアン先生のお名前は、タイ語でクレヨンの意味の〝ティアン〟ですか?」

教室の前に突っ立っていた彼はちょっと頭の中をまとめ、答える。

「……違います」

ティアンは何と説明すればいいか分からないので、振り向いてチョークで黒板に書く。バンコクの学校では今さらほとんど使われない代物だ。

細い指が、いかにも初めて使うという手つきで極めてゆっくり白墨を動かす。曲がって歪んだタイ文字ができあがる。

「ティアン……は、こう書きます。哲人という意味です」

「テツジンは、何色ですか?」

「哲人とは、ものをよく知っている人のことです」

ティアンはできるだけ短く分かりやすい言葉を選ぶが、どうやらまだ話が通じていないらしい。

「なんで、クレヨンじゃないんですか?」

ティアンは白旗を揚げる。「……クレヨンでもいい」

「クレヨン先生!」

さっきまで静かに聞いていた他の子どもたちが一斉に呼び、きゃっきゃと笑った。

「今日は何を勉強しますか?」

子どもたちはすでに新しい先生に馴染んできたらしい。

何を勉強するだって？　ブルジョア青年はすぐには答えられない。確か、セーントーン財団会長のウィナイ教師によると、ここには色んな年齢の子がいるから、全員に合った授業の準備は結構ややこしいと言っていたっけ。

「前の先生はどこまで教えたんだ？」

……よし、生き延びる最高の質問だ。が、山の生徒たちがてんでんばらばら素直に答えるので、ティアンは目眩がしそうになる。ストップ、というように手をかざした。

「こうしよう。明日、前の先生の宿題を持ってきて、僕……えー、先生に見せなさい」

子どもたちが頷いたので、彼はほっとして息を吐き出した。少なくとも今日一日は助かった。

ティアンは全体を眺め渡し、本を収めたガラスケースにスケッチブックとクレヨンや色鉛筆が何箱もあるのを見つけ、アイディアが浮かんだ。

「よし。今日は初めての日だからな。先生はみんなのことをもっと知りたい」

ティアンは、異なる年代の生徒たちを集めて輪になった。白い画用紙を破り、お絵描きグッズを皆で使えるよう真ん中に積み上げる。

「みんな、自分の家族の絵を描いて、先生に提出すること。描き終わったら帰っていいよ。明日また会おう」

え、それだけ？……一斉に顔を上げ、クレヨン先生を見つめるアカ族の子どもたちの不思議そうな視線を翻訳するとこうだった。が、皆、よく従った。

ティアンは、指示通りひたむきに画用紙へ色を塗っている子どもたちを見て、ゆっくりとその輪を外れた。疲労困憊《こんぱい》し、崩れ落ちるように、広く開いた窓枠に腰を下ろす。それはちょうどウエストの高さだった。

崖の上の涼やかな風が滑らかな額に滲んだ汗を吹き飛ばし、狼狽した心も静めてくれる。外では斥候二人がまだ周囲をくまなく巡回していた。まるで、この高山の上にテロリストがいて、今にも雪崩れかかってくるのだというように。

ティアンは立ったり座ったり、一時間ほどぼんやりしていたが、一人の男の子が歩いてきてちょんとつついた。この子は名前がアーイ、歳は十四。彼はすぐに分かった。クラスで一番の年上だ。

「できました、先生」

タイ語の発音はかなりクリアだ。この子は、学校ができた最初の時からボランティア教師に教えてもらってきたのだろう。

「ありが……よし」

彼は画用紙を受け取った。山の稜線が描かれている。真ん中に太陽、左は家、右には手を繋ぐ家族のような人たち。アカ族の角ばった織物の衣装の人の他、軍服の男と、髪に花を挿した長い巻きスカートの女性も見て取れた。

「これは誰？」好奇心でティアンは軍人の絵を指す。

「プーパー隊長です」

「どうしてこの絵の中にいるんだい？」

「隊長は僕たちをたくさんたくさん助けてくれた、と父が言いました……隊長は家族です」

男の子は素直に答えた。

「じゃあ、この女の人は？」彼は次に、明らかにアカ族ではなさそうなもう一人の絵を指した。

「ファン先生です」

アーイの口からその女性の名がこぼれ、彼は日記の中の記述を漠然と思い出す。トーファンは、このパンダーオの崖で過ごした期間に、彼女のことを世話してくれたアカ族の男児の家族について書いていた。彼らのことをアーダ（父）、アーマ（母）と呼んでいたことも。

「ファン先生に会いたい？」

なぜかそう訊いていた。純真な一対の瞳を見ていると、彼の心の奥底にも悲しみが湧いてきた。ここの人たちは、トーファン先生がこの世にはもう帰らぬ人となっていることを知っているのだろうか。

アーイは頷いた。

「……会いたいです。でも、先生は、すぐに帰ると約束しました」

男の子の返事を聞き、心地よかった涼風が凍りついたような気がした。どんなに待っても奇跡は起こらない……。ティアンは知らず知らずのうちに左胸に手を当てていた。

トーファンが帰って来られるとしたら、もうこの〝心臓〟だけなのだ……。

「先生。クレヨン先生！」

呼んでいたのは、彼の命名をした当の女の子だった。彼は慌てて飛んでいく。

「終わりました」

汚れた手が自信満々に作品を差し出していた。

女の子がアーイと全く同じ構成の人物たちを描いていたのを見て、ティアンは小首を傾げる。

だが、知らん顔して尋ねてみる。

「……この人たちは誰？」

「ミージュー」と、女の子は自分を指で示す。次に、その隣の大きな子どもを指し、「アーイ兄さん」。それから、ひどく歪んだ線描を順番に、「……父さん、母さん、プーパー隊長、ファン先生」。

彼らは兄妹なのだった。ティアンは合点がゆく。彼には集落の誰もが皆同じような顔に見えてしまい、まだ区別がついていない。全員が親戚だと言われても信じただろう。

「アーイ、ミージュー。提出したから帰っていいよ。明日、また会おうな」

ミージューは嬉しそうににっこり微笑み、アカ族の言葉で兄と喋り始めた。アーイは新しい先生にタイ式の合掌をし、妹の手を取って外へ向かう。残り十三人だか十四人の子どもたちが絵を提出し終えた頃には、すでに午後に差し掛かっていた。

「ずいぶん早く終わったね、先生」

斥候の一人が、生徒が誰も残っていない教室に顔を覗かせた。

ティアンは苦笑し、何も授業の準備をして来なかったのだとは言えず、「明日から本格的に始めるんだが……ところで、この学校は軍が護衛しなきゃならないのか？」と、疑問に思っていたことを訊いた。

青年兵は一瞬、言葉に詰まったようだった。

「この辺りは国境地帯であります。安全と呼べる場所はどこにもありません」

その答えに納得し、ティアンは特に気に留めなかった。彼は画用紙をまとめ、棚から教科書を取り出して持ち帰ることにした。小さな学校を出ると、二人の斥候が宿舎まで送ってくれた。

それから、斥候はさらに数キロ先の基地へと戻っていった。

０６　揺らぎ

すらりと細い手が、仮設トイレの竹製の扉を押し開く。ティアンがどんなに嫌悪したところで、結局、生理的欲求には耐えられず、それを使用するしかないのだった。ティアンは勢いよく飛び出し、外の新鮮な空気を肺に満たして苦難を免れた。未だに息を止めなければ入れないのだ。まったく、この苦痛といったらない。

ティアンはぐるりと回り、宿舎の前に戻った。タオルを持って、裏の水甕《みずがめ》で水浴びするつもりだった。昼の気温は暖かくてちょうどいい頃合いだったからだ。だが、そこに鬼のような体を見かけ、ぴたりと足を止める。そいつは迷彩柄のズボンに緑がかったカーキ色の丸首シャツという姿でかがみ、風に吹かれた画用紙を集めながら梯子段を塞いでいた。

隊長の手にはアカ族の子どもたちが描いた画用紙がある。彫りの深い顔が持ち上がり、目がボランティア教師と合うと、プーパーは口の端に冷笑を浮かべた。

「……先生が授業をさぼるというのは初めて見た」

ティアンはこの皮肉屋を睨みつける。

「今日は〝オリエンテーション〟というものだ。明日からが本番だ」

太い眉がちょっと上がる。完全に信じてはいない。プーパーは、縁側から落ちてきた生徒の作品を新米教師に返した。

「クレヨン先生は、子どもたちにどんな指導計画を持っておられるのか？」

名前をからかわれ、ティアンはさっと振り返る。さては、あの警備に立っていた斥候《せっこう》が話したな。本当のところは自分の行動を観察するために潜入させられたスパイなのに違いない。そうでなければ、大尉殿がここまで情報を入手できるはずがない。

「……あなたは校長か何かなのか？　なぜ僕が報告しなきゃならない」

「おい。とりあえず教えておけば何でもいいとは思っていないだろうな？　教え方がなっていなかったら、君は〝送還〟だからな」

低い声は本気のように聞こえた。ティアンは激怒する。

「そうか。『僕はまだ指導計画を何も作っていません』と、それが聞きたかったわけだな？　そうすれば僕を送還する理由ができるからな」

「で、君は、ここに何のために来たのか？」

プーパー隊長は一言ずつ噛みしめるようにゆっくりと言った。そしていかにも強情なブラウンの瞳を覗き込んだ。

ティアンは、思う。こんなところで暮らしたいと思うか？　マットレスは硬いわ、蚊は刺すわ、飯はひどいわ……。おそらく僕はただ、都会の単調な生活にうんざりしただけだ。そうでなきゃ、こんな妙ちくりんなことを試してみたりしない。あのトゥンの野郎の言った通りだ。僕は家に引き籠り過ぎて頭がイカれたんだ。もうひとつの世界、なんだそれは？　苦痛の他に何もありはしないじゃないか。

ティアンは唇をきつく噛んだ。がっしりとした肩にぶつかっていき、道を空けさせて梯子段を上る。プーパーは体を反転させ、大声で言い放ってきた。

「荷物をまとめたら、言え。車で町まで送ってやる」

そうすりゃ厄介ごとが片付くからな！　プーパーは心の中で怒鳴った。こんな怒りの感情は一度も知らなかった。彼は息を深く吸い込み、梯子段の脇で一から百まで数えた。竹小屋の中で乱暴に物を引きずっていた音が静まった。プーパーはしばし躊躇《ためら》ったが、思い切って梯子段を上って行った。

くしゃくしゃに丸められた紙が風に転がされ、足元に当たった。足がぴたりと止まる。狭い縁側の方へ目を向ける。そこには子ども用の教科書が二、三冊、ページを開いたまま置かれていた。レポート用紙にはタイ語と英語のスペルがびっしりと書き込まれていた。

……言葉がなくても分かる。そこに積まれたものが〝努力〟の証拠だった。

プーパーは、言い過ぎた自分の口をこれほど叩きのめしたい気分になったことはなかった。かがんで丸まった紙屑を取り、小さなあばら家の中へ駆け込んだ。

細い体が背を向けて立っていた。それは静かに佇んでいるだけのようにも見えた。だが、細い肩はぶるぶると震えていた。決して寒さによるものでないことは明らかだった。

新人教師の前には、衣類と私物がリュックに詰めかけになっていた。だらりと垂れた右手には、彼のような人物には似合わない可愛らしい色の手作りノートが掴まれていた。

ティアンは、トーファンの日記帳をほとんど捻り潰しそうになっていた。ここに綴られているのは穏やかな幸せで、この辺境の地に来てみて、ティアンは痛いほど現実を突きつけられた。それは、彼がただの負け犬だということだった。たとえどんな場所へ行ったとしても、彼が安らげる場所はなく、彼女のような幸せを得られる場所はどこにもない。

「僕はここに来るべきでなかった……」

首都からやってきた異物は、どのような観点で見たって、僻地の簡素な生活と相容れることはないのだ。

「君にそう思わせるつもりはなかった」

プーパー隊長はぐっとやわらげた声で言った。

「いや、あなたは正しいよ……僕には〝先生〟らしいところは一つもない。他の人たちが僕を先生と呼ぶのを聞いて、それがどれだけ息の詰まることだったか、あなたに分かるものか！」

ティアンは感情を抑え切れなくなった。口を開けば開くほど、自分の未熟さをさらけ出すだけなのに。

しばらくの間、二人は沈黙した。気づくと、プーパーの大きな体躯が後ろに佇んでいた。彼は顔を下に向け、その厚い唇を小さな白い耳たぶの上あたりに寄せて囁《ささや》いた。

「……〝先生〟でなくてもいいじゃないか。彼らの〝兄さん〟でもいい。大事なのはここの人たちを家族として受け入れる気持ちがあるかどうかだ」

「でも子どもたちは、先生を求めている。財団のボランティアのみんなみたいな」

「君は、誰とも同じである必要はない」

プーパーはティアンの細い手を握り、固く丸められた紙の塊をその中へ差し入れてきた。「君の知識。君の能力。それはきっと、ＡＢＣを暗唱するだけではないと私は思う」

その気休めのような言葉に、ティアンは苦々しく笑みをこぼすしかなかった。

「あなたは何も知らない。タイ語のアルファベットすら僕は順番に覚えちゃいないんだ」

「ここにボランティア教師が何人来たと思ってるんだ？　私が思うに、子どもたちは、アルファベットについてはもう君よりもうまく暗唱できるようになっている」

山の先生の典型例なのか何か知らないが、何人来たってまずはタイ語のあいうえおだ。その上、一カ月もしないうちに荷物をまとめて脱走する奴もいる。生徒はいつまで経っても次の新しい言葉のスペルを勉強できやしない。

隊長は薄い手のひらを握り締めた。

「ここの子どもたちは入試に受かるために勉強に来てるわけじゃない。これは貴重な機会なんだ。彼らが、君のようなボランティアを通じて外の世界を知るということは。だから、先生と呼ぼうと何と呼ぼうと、意味するところは全く変わらない」

ティアンは恥ずかしくなり、握られていた手を引いて外した。その温かみは心臓に達しようとしていた。

「ずいぶん喋ってくれたけど、要は、あなたは本当は僕を行かせたくないということだな？」

いつもの口の悪さでつい言う。が、それを受けた方は呪文をかけられたように固まってしまう。

プーパーは喉に何か詰まったように咳払いをする。

「そうだ。送迎にどれだけ国家予算が無駄になるか分からん」

ティアンは唇を曲げた。……このへそ曲がりめ。くるりと振り向き、背後に立っている男を正視する。

「帰らないことにしてやってもいい」と言って、鋭い瞳から目を逸らす。

「……あなたの基地の貧困に免じて」

プーパーは顔をいかめしく引き締めた。ほとんど引きつりそうなほどだ。そうしないとうっかり笑みをこぼして、このガキみたいな奴をいい気にさせてしまいそうだ。体がすっと離れてリュックから物を取り出し始めるのを彼は見つめる。しばらくして、プーパーは、遠回しな詫びの言葉を口にする。

「早く片付けろ。市場に連れて行ってやる」

それを聞いて、ティアンはぴたりと手を止めた。きらきらした目で振り返る。むせかえるような生臭い市場を愛してやまないというのではない。ただ、せっかく誘ってくれた厚意を無にしたくないだけだ……。

「行く行く！　すぐ出られるよ」

ティアンは飛び上がって広い背中を外へ押し出す。

プーパーはやれやれと首を振る。なんて気分屋なんだ。だが、素直に宿舎から歩み出た。

本当にガキだ……。もうちょっとは意地を見せつけてくれるかと思っていたのだが。

ボランティア教師の宿舎前には、型落ちして久しい小型のオートバイが大きな木陰に停まっている。プーパーはそれを引きずり出して跨り、慣れた手つきでスイッチを押し、エンジンをかける。が、気晴らしに出かけたいはずの奴が後ろに乗って来ないので、彼は後部シートを叩いて促す。

「来い。何してるんだ？」

ティアンは苦虫を噛み潰したような顔をしている。鬼みたいな軍人の体一つでもういっぱいなのに、二人乗りだって？　前にくっつけば体が一つになりそうだし、それが嫌なら背後へ転がり落ちるのがオチだ。

「こりゃ市場まで命が持つかどうか」

ティアンは小声でぼやくが、隊長の地獄耳が聞き漏らすわけもない。

「文句言うな。こんな山奥にリムジンなんかあるものか。行きたければ早くしろ。さもなければさっさと家に戻れ」

「分かってるよ、もう」

ティアンには、こんな男の妻になりそうな人は思いつけなかった。ここまでおっかなくて一体どこの女が一緒になりたがるものか。大方、徴兵されて自分の中隊に来た兵隊とでも仲良くするしかないだろうな。

彼は内心毒づき、脚を上げてろくでもないオートバイの後ろに跨った。

プーパーはわざとアクセルを開ける。後部座席で体勢を整えるより先に車体が勢いよく前方に飛び、ブルジョア青年は大声を上げ、慌てて体を倒して頑丈な腰に抱きつく。聞き違いかどうか知らないが、周囲の微風に混じって低い笑い声が聞こえたような気がした。

面目丸つぶれの都会のお坊ちゃんはどう雪辱するか考え、自分がしがみついている筋肉質の腹に十指の爪を立ててやった。

「痛え……」

プーパーがぐっと眉をひそめ、ハンドルから片手を離し、腹をつねっている奴をやっつける。二つの手が引っ張り合いながら絡み、オートバイが横滑りしてよろよろと蛇行する。挙句、中隊長殿が再び声を荒げる。

「くだらないことしやがって、死にたいのか！　地縛霊にでもなれ！　そうしたら救済してやる」

ティアンは唇を曲げ、体を乗り出して前の耳に怒鳴りつける。

「へえ、そんなにおっかないかよ、隊長！」

プーパーは肺が空になるまで大きく息を吐く。この生意気な奴が本当に三カ月もいた日には、彼の寿命が二、三十年縮まるに違いない。

「じっとしてろ」

平板な声で命令する。それから、プーパーは片手だけで相手の細い両手を固め、自分の腹のところに拘束した。

前方は急勾配のでこぼこした小径で、ティアンは窮屈な姿勢を我慢するのも嫌になってきた。濃い茶色の細い髪に覆われた形良い頭を大きな背中にもたせかける。隊長の身体には日の匂いが染みついていて、不思議と温かな安心感があった。

ティアンは、オートバイのスピードで流れる鮮やかな緑の景色をぼんやりと瞳に映す。寒冷地の花々を栽培する農園が、見渡す限り遥かに広がっている。それは入り組んだ丘の上から下へと続いていて、価値を決めることのできない絵画のように美しかった。農園で作業していた村人たちは、聞き慣れたエンジン音を耳にすると各々顔を上げ、この大きな軍人に手を振って挨拶した。

透き通るような薄い唇に柔らかな笑みが浮かぶ。彼はトーファンの日記の一文を思い出していた。

〈血の繋がりはないけれど、同じ家族のようなもの。

幸せの大地は、どこにでも存在する。ただ、自分がその一部になれるかどうかというだけだ……〉

アスファルトで舗装された二車線の幹線道路は、複数の郡へと続いている。国王陛下は僻地の地域社会の自立を希求され、「王室プロジェクト」を設立された。そして王室農業ステーションを設置、様々な寒冷地の作物栽培が試みられた。さらに、有識者を派遣、山の民に経済作物の栽培を指導することにより、麻薬植物に代わる生活の糧を得られるようにされた。政府機関に対しては、継続的な支援管理が指示されている。

前方の分岐路に木製の看板が見える。それは白い文字で〝ファイナムイェン市場〟と書かれ、矢印のマークが示されている。オートバイはその通りに曲がり、さらに三キロほど進むと、目的地に着いた。

この生鮮市場は、地方でよく目にする定期市に似ていた。台をしつらえた本格的な店もあれば、ビニールシートを敷いただけの露店もある。珍しいのは様々な山岳民族がいるところで、彼らは生鮮野菜や果物の籠を担いで売り歩いていた。

隊長と並んで歩いていたティアンは、見覚えのある背の高い細身の男が遠くから手を振っているのに気づき、足を止めた。ワサン医師だ。深緑色の軍服には星が三つ、それから襟章が付いていた。彼は、チエンラーイ市内での公務で朝から乗っていたジープを飛び降りてきた。

ティアンは連れの方へ視線を走らせた。

「……ドクター・ナームと約束していたんじゃないか。なぜ僕を連れてきた？」

プーパーはその瞳を凶暴な虎みたいに睨んだ。それから、呆れ返ったように鼻息を吐いた。

「誘ってなどいない。奴が勝手に来たんだ。……私は今日は君と来るつもりだったからな」

「聞き違いか？」

信じられないなというように、ティアンは耳をほじる仕草をした。

「あなたが僕を誘うなんて」

「そうだ。君は何か簡単なものを買って自炊するべきだ。ビアンレーおじさんの家の弁当にばかり頼らずにな」

そう言われ、さっきのいい気分が空中分解していく。

「僕は料理ができません」

「できなくても、やれ。自力で何もできず、人がやってくれるのを待っていられるのは……」

プーパー隊長はかろうじて口をつぐみ、話を変える。

「まあやってみれば、そのうち慣れる」

ワサン医師が遠くからご機嫌な笑みを浮かべてやって来る。そして、ふてくされた顔で言い争っている二人に話しかける。

「どうしたの？　二人で料理でもするの？　今夜でもいいよ。僕も空いていることだし。味見しに行く」

「違います。僕は……」

ティアンが言いかけると、太い腕が首に巻きついてきた。そして手を伸ばして口をがっしりと塞ぐ。

「ティアン先生の家へ夕食に行くのであります」

プーパーは断言し、じたばたしている男を引きずって市場の奥へ消えてしまう。取り残された軍医は、二人が思ったより親しげなのに驚いて眉を上げ、慌てて後を追った。

ティアンはようやく強靭な腕を振りほどき、恨みがましい目を鬼に向けた。

「馬鹿か、あなたは！　僕は茹で卵すら作る前に割っちまうんだよ。米を炊くなんて夢の世界だ。さては、ここで僕を餓死させようというつもりだな」

「だが、今日からやるんだな」

隊長は細い手首をどこにも逃げられないように掴んだ。そして相手のわめき声など気にも留めずに連れ回した。

魚醤《ぎょしょう》の瓶、植物油の瓶、袋に小分けされた塩と砂糖。屋根を付けて簡易雑貨店に改造されたピックアップトラックの荷台から、それらの物が掴み出されていく。プーパーが皿や丼、スプーンにフォークを指さすと、商人がそれらを二、三セット寄越してきた。

ティアンは自分の薄っぺらな財布を振り、この辺の店でクレジットカードが使えるところはあるかなと考える。店の女が言ってくる値段は、市内のそれよりも高かった。というのも、上り下りのガソリン代や手間賃が含まれるからだ。プーパー隊長が金を払おうとし、彼は慌てて叫ぶ。

「おいおい！　いいから。僕が払うって」

だが、鬼のような軍人の次の言葉を聞き、ぴたりと口をつぐむ。

「君はまだご両親に養ってもらっている分際だ。大人が物を買ってやったら、黙って受け取れ」

ソーパーディッサクン家の末息子は、気にするもんかと肩をすくめる。自分が買いたいなら勝手にしろ。だが、その三秒後、彼は怒りに耳から火を吹くことになる。

「大人に物をもらったら、どうするものだ？」プーパーが静かな声で質問した。

「なら、自分で払うからいい」彼は財布から五百バーツ札を抜き出す。

「……謝礼の合掌とは手を二つ挙げれば済むことだが、そんなに難しいのか」

凍りついたのはティアンだけではなかった。これにはプーパーとは長い付き合いのワサン医師でさえ、言葉を失った。普段、この友人は無口な部類だった。男らしさにかけては右に出る者がなく、こんな些細なことを気にしたことはなかった。細い目を下に向け、よく回転する敏《びん》捷《しょう》な頭脳をしばし働かせ、ひそかに物事を繋ぎ合わせていく。

ティアンは少しの間、両手の拳を握ったり離したりしていたが、思い切って両手を蓮の蕾《つぼみ》形に合わせ、拝むようにタイ式の合掌をした。

「これで満足ですか、隊長！」彼は憤慨した声を叩きつけた。

プーパーは口の端で僅かに冷笑し、ビニール袋に詰めた品々を渡してきた。そして膨れっ面の相手の手を掴み、先を歩く。彼らが買ったものは、米、生卵に塩漬け卵にピータンという卵、卵、卵……それから日持ちのする干した塩漬け肉だった。今度はワサン医師も負けていられない。素早く割り込んで金を払った。自分もティアンに美しい合掌をしてもらいたかったからだ。

「あれも買ってよ」

ティアンはインスタントラーメンの袋を指さした。選りどりみどりの種類がある。

「化学調味料の食品ばかり食っていると脳みそが空になる」

「だからって僕に卵と粥を毎食食えというんじゃないだろうね」

「今日はとりあえず野菜も買おう。これからはビアンレーおじさんが家の裏で作っている家庭菜園のを分けてもらって、炒めるなり煮るなりすればいい」

「プーパー隊長。実は、あなた、衛生局の役人なんじゃないか？　おい！」

本格的に不機嫌になってきた。あれもだめ、これもだめ。あんたは親父か兄貴か？　いや、そうじゃないな……。

睨めっこの真っ只中、第三者が慌てて止めに入る。

「おいおい、プーよ。この医者の言うことを聞け。今、ティアン先生が即席麺を十袋ほど食べたとしてもな、脳に問題は生じないぞ」

「……そうか」

結局、几帳面極まりない隊長も折れ、インスタントラーメンの豚ミンチ味を二袋買った。が、それを渡しても、本人はさっきよりも不満そうな膨れっ面になっている。細長い眉も結べそうなくらいだ。……どうやって機嫌を取ればいいのかさっぱり分からん、このご令息様というものは。

「まだ何かあるのか？」

「別に」

ティアンは素っ気なく答えた。……ワサン医師の言うことなら何でも信じるんだな。面白くない。

「買物は終わりか？　もう帰りたい」

プーパーが頷くと、ワサン医師はボランティア教師の手から袋を奪い、代わりに持った。

「ティアンくんは僕が送るよ。その方が楽だ。お前の鬼みたいな図体と押し合わないで済むからな」

ティアンは即座に首肯した。素直になれない幼馴染みみたいな二人がいちゃつき始めて自分を放り出し、自分一人でバイクに跨って山を下りる羽目になったら事だからだ。

プーパーは、この面倒なお坊ちゃんを眺めて腕を掴み、軍医の友人の方へ押しやった。一緒に来ておいて、なぜ一緒に帰らないんだ？　と、プーパーは思う。苦くてまずい薬草を無理矢理噛まされたかのような顔をしながら。

ワサン医師は明るく朗らかで話し上手な人だったが、車の中に二人きりで座るのは、ティアンにはどうも気詰まりだった。彼ら〝二人〟の関係が、友人を超えた何かなのかどうかはっきりしないせいかもしれない。軍医はラジオのルークトゥン（タイの歌謡曲のジャンル）に合わせて機嫌良く鼻歌を歌っている。

「そうそう。まだ訊いていなかったけど、ティアンくんはここに何日か住んでみて、困ったことなどないかい？」

「まあ大したことはありません。大体、大丈夫です」

それでワサン医師は今思い出したというようにぴしゃりと膝を叩いた。

「そうだよな！　プーパー隊長がわざわざ出張ってこんなに良くしているもんなあ。水甕を満たすよう命じたり、買物に連れ出したり。他の男の先生の時は、あいつは構ったりしないんだ。あるがまま放っておくものだから、あれこれ困って我慢できなくなって、逃げ帰った輩《やから》がわんさかだ」

　ティアンは横を振り向き、その滑らかな顔を見て軽く言った。

「ドクター・ナームは、隊長ととても親しいみたいですね」

「親しいのはそりゃ当然だ。あいつとは最初に配属された時からの知り合いだから。あいつが国境に転属になったもんだから、僕も異動願いを出したんだ。飲み仲間がいなくなったら困るからさ」

　ワサン医師は声に出して笑い、仕舞に馴れ馴れしい口調で質問を投げかけてきた。

「それよりティアンくんはさ、プーパーと前から知り合いだったわけ？　君が来た晩だけど、あいつと僕はムエタイを観てたんだ。そうしたら基地に連絡があって、あいつ、慌てふためいてバイク乗って出て行っちまってさ」

　元将官の息子は総毛立った。嫌な予感がし、頭の中であらゆる可能性を考えた。だが、もしも、バンコクの家の人間が彼の所在を明らかにしたのだとしたら、なぜ、追手は彼を連れ帰らないのか。

「その連絡がどこから来たのかは、分かりますか？」

「あいつが言うには〝父親〟だって。けど、知る限り、あいつの親父さんはとうに亡くなっているんだ」

　ティアンは苦しげな笑みを浮かべた。それが自分の〝父さん〟だったら。

「よく分かりませんね。僕は隊長と前からの知り合いではないんです。ただ、知っている人から話を聞いたことがある、というだけで」

ワサン医師の太い眉が驚いたように上がった。疑問の塊が瞳の中で揺れる。「……誰だ？」

「〝トーファン〟です」

口からこぼれ出た名前に、車の中が一瞬、静まった。

「ああ、トーファン先生か」

ワサン医師の声が心なしか小さくなる。

「彼女はきっと安らかに眠っているよな。僕もプーパーも通夜には間に合わなかったんだ。財団から報せがあって、なんでも、親族が急いで火葬にしてしまったって」

自分がその女教師の知人だということにしてしまった手前、ティアンは肯いてみせる。

「はい。あまりいい親戚ではありませんでした」

ティアンはまだよく覚えていた。あの疫病神みたいな伯母とのやり合いでは、不愉快な思いをさせられた。

「まさか、トーファンのあとを継いでボランティア教師になったというわけではないよね」

ワサン医師が年下の男をからかい、続けて言う。

「……もし彼女が生きていたら、〝三角関係〟か。涙を誘うな」

ドクターとトーファンと隊長の三角関係だろうが！　ティアンは相手の耳に思い切り怒鳴りたい衝動に駆られるが、こう言っておく。

「そこに入るのは僕ではありませんが」

　ワサン医師は、ティアンの端整な面立ちにちらりと目をやる。肌は白くきめ細かい。高低差のある鼻すじ。唇はきゅっと波形を描いている。それから、ワサン医師は何もかもよく分かっているとでもいうように微笑んでみせた。

「心配ないよ。プーの野郎の好みは、トーファン先生のようなタイプじゃない」

「……ドクター・ナームのようなタイプなんですか？」

　ティアンは心の中の声をつい口から出し、しまったと思った時には相手は目をとてつもなく丸くしていた。それから約五秒後、ワサン医師は爆笑した。

　ティアンは、笑い声に混じった呻き声のようなもの……最高、とか何とか……をぼんやり聞いていたが、ようやく正気を取り戻した。ワサン医師は頬を緩めたまま言う。

「それについては、ティアンくんが自分で隊長に訊くんだな」

「知りたいわけじゃありません！」

「分かった分かった。知りたくないなら知りたくないでいい。話を変えよう……」

　ワサン医師は慌てて他に話を振った。まったく獣みたいに獰猛《どうもう》な奴だ。襲われて首にでも噛みつかれたら、死んでもろくでもない骸《むくろ》になってしまう。

　ジープは、ヨート曹長が送ってくれた時と同じ細い道の前で停まった。若き軍医は、市場で買ったたくさんの荷物を持ち、宿舎まで送ってくれた。それから、彼は、基地で楽な服に着替えてからすぐ来ると言い、去った。

ティアンは高床下の床机《しょうぎ》に腰をかけ、プーパー隊長を待った。伏せて置いてある調理器具を眺め、うんざりした気持ちになる。どうやら、毎食インスタントラーメンになるのは確実だ。

丘を曲がりくねって上るエンジンの音が遠くから響き、オートバイが姿を現した。大きな体が歩み寄ってくる。その手には、後でさらに買い足したらしい物の袋があった。

「何だ？」

プーパーは濃く太い眉を怪訝そうに寄せる。突き刺さってくる視線がなぜか鋭かったからだ。

「別に。ただ見てただけ。悪いか？」

気まぐれなお坊ちゃんがくぐもった声で返した。

プーパーは首を横に振り、まったく……とぼやいたが、気にしないふりをして袋を置き、七輪を引っ張り出す。それが終わると、手招きしてティアンを近くに呼んだ。

「見ていろ。点火の仕方だ。覚えれば、これから君は水浴びの湯を沸かせるようになる」

湯と聞いて、ティアンはすぐに飛び上がって来る。使い立てされて物を取りに行かされても怒らない。喜び勇んで探しに行ってさえいる。

必要な物が揃った。彼は言われた通りに七輪の中へ薪を並べる。隊長は古式ゆかしい着火剤を持ってくる。ヤンの木の樹脂をフトモモの木の皮と混ぜ、檳榔樹《びんろうじゅ》の皮に包んだものだ。それから、点火して、棒の先に火が行き渡ったか確認する。

プーパーは着火剤を薪の束の中へ押し込み、突っ立っているだけの男を促して何か煽《あお》げるものを探しに行かせる。赤い炎が明るく強くなってきて、薪が燃え、白く変色する。ティアンは目を丸くした。ボーイスカウトの時でさえ、学校ではピクニック用のガスコンロを使っていたのだ。都会でこんな古典的な道具を使う人なんていやしない。

「鍋で米を炊いたことはあるか？　〝かんぬき式〟と呼ばれている昔ながらのやつだ」

プーパーは尋ねた。答えは即座に返ってくる。もちろん、ぶんぶんと首を横に振って。彼は長いため息をつき、命令した。

「水を汲んで来い」

ティアンは、裏手の水甕からプラスチックのタンクに水を汲んできた。

プーパーが横から説明を入れ、ティアンはその通りにやってみる。まずは、買ってきた米を量り、アルミの寸胴鍋に入れる。清潔な水を入れ、手で二、三回軽く回す。それから、白濁した水を捨てる。これを繰り返し、とぎ汁が透き通ってきたら、鍋の口ぎりぎりまで水を注ぎ入れて蓋をし、熱しておいた七輪の上に置く。

「どうして〝かんぬき〟と呼ぶんだ？　それにこんな風に煮てしまって、粥になっちまわないのか？」

ブルジョア青年は不思議そうに尋ねた。

プーパーは三十センチほどの竹棒を持ってきて、説明する。

「これは〝かんぬき棒〟という。米が煮えたら、これを鍋と蓋の耳に貫き通す。かんぬきをかけて動かないようにするんだ。そして鍋から上澄みを流し捨てる。そうすると飯がふっくらとするわけだ」

それからおよそ十五分、彼はティアンに蓋を開けさせた。お玉で少しかき混ぜてから、掬ってみる。米粒が潰れて透き通った白になり、芯が残っていなければ煮えているということだ。プーパー隊長が〝かんぬき棒〟の使い方を実演する。棒を三箇所の耳全てに貫き通してから持ち上げ、煮立った汁をゆっくりとなくなるまで捨てていく。

蓋を取ると熱い湯気が立ち上り、美味しそうな白米が現れる。ティアンは顔いっぱいに大きな笑みを広げた。不思議な達成感がある。

「……難しいことじゃないな」

教えた側がくすくす笑う。

「一人で焦がさずできるようになってから言え」

「ブジョクだ」

「不食よりはマシだろう……さあ、おかずを作るぞ。早くしないとドクターの野郎が来てしまう」

最初のダジャレはまあいい。が、その後の台詞はなんだ。ティアンは重たい米袋を投げつけてやりたくなった。二言目にはドクター、ドクターだ。どうやら、あの素晴らしく愛らしいトーファンも完全なる失恋だ。好きになった相手が〝ゲイ〟では、彼女に勝ち目は全くない。

「買ってきた砂糖が少な過ぎたみたいですね、甘さが足りなそうだ」

プーパーは、量り売りされていた大きな砂糖の袋を見て、きょとんとする。ティアンは冷笑を浮かべて、言う。

「……甘草の炒め物とカボチャのシロップ漬けでも作るのかと思ってました」

「何を意味の分からんことを……さっさと中華鍋を火にかけろ、クレヨン先生！」

隊長がいかめしい声で命令し、ティアンは内心舌を出しながら敬礼してみせた。


ワサン医師は、半時間のうちに教師の宿舎にやって来た。厨房内での内戦が勃発してはいけないと思ったからだ。彼は、丸首のTシャツと七分丈のパンツに着替え、オートバイに跨って飛んできた。が、目の前の様相は、どちらかといえば、互いにぷんと拗ねているような感じだった。

彼は可笑《おか》しく思いつつも、どうしていいか分からずに後頭部をかいた。今、割って入った方がいいのか、それとも、まずはその辺の村人に挨拶しにでも出かけようか。

「まずい時に来ちゃったなあ」と、独り言でぼやいてみる。

だが、運の悪いことに、プーパーが皿を取ろうとして振り返り、目ざとくワサン医師を見つけてしまった。そして怒鳴ってくる。

「おい医者！　来たんなら、さっさと入って座れ」

ワサン医師は仕方なく呼ばれるままに入っていく。床机の上に並んでいるのは米飯の鍋に、ひしゃげた空芯菜炒め。そして親友が今持ってきたのは、すっかり焦げた卵焼きだ。思わず汗が出てしまう。

「どれも美味しそうだねえ」

プーパーが友人の顔を何も言わずに睨んできた。お世辞だとばれている。

「お前にぴったりだぞ。ティアンくんの手料理が食べたいとリクエストしてたじゃないか」

「じゃあ、全部食っちまいますよ。後でもったいなかったとか思うなよ」

ワサン医師が言い返すと、プーパーはやましいことでもあるかのように他へ目を逸らした。

ティアンは二人が言い争っているのを不思議そうに見て、おかずの皿に目を落とした。自分の労作はどう見ても美味そうとはいえないが、気にせず肩をすくめる。仕方ないさ、作れない人間が作ってるんだからな。形になっているだけでありがたいと思え……。

「お腹空いてますか、ドクター？」

「ああ……いただこう」

ワサン医師がボランティア教師の方を向いて答え、せっせとご飯をよそう。怒りの光線を発射している親友には見向きもしない。

〝かんぬき式〟で炊いた飯は少し硬くなり始めていたが、十分に美味しそうだった。空芯菜炒めはドクターが先駆けてフォークで掬い、口に入れる。が、激しくむせかえる。彼は無理して微笑みかけてみせる。新米の板前は、感想を聞く気満々のようだ。

「うむ……悪くはないね、ティアンくん。ただ、僕が思うに、ちょっと塩気が多過ぎるかもしれない。ナムプラーの瓶を間違ってひっくり返しちゃったかな」

「間違ってはいない。故意に、一瓶すっからかんに振りかけた」

プーパーがこの場に喧嘩を売ってくる。そして、作り立ての卵焼きの皿を親友の方へ押し出した。

「さあ、食え。何とか阻止はできたんだ」

本当に仲良しだな……。ティアンは二人の軍人の顔を見て苦笑した。

「糖尿病にならないといいですけど」

ワサン医師が突拍子もない笑い声を上げる。

「糖尿病と腎臓病のどっちになっていいか分からないな」

「空芯菜炒めは、作った奴が責任持って全部食え」

プーパーが事の張本人の方を向き、叱りつけるように言う。本人は不服そうに睨んでくる。

「食えばいいんだな」

ティアンはこれ見よがしに問題の空芯菜炒めをよそうと、すぐに噛み砕いた。ナムプラーの匂いとしょっぱさが頬の膨らみいっぱいに立ちこめる。意を決してそれを嚥下した。プーパーはこの自信過剰のガキの顔が歪むのを見て、こっそり長いため息をついた。

ティアンは、ぐっと我慢して残りの空芯菜をさらにごっそり掬おうとしたが、その時、彼のスプーンはもう一つのスプーンとぶつかった。目を上げると、プーパーは空芯菜のナムプラー炒めをさらい、自分の皿に全部入れてしまった。白米に混ぜ、無表情ともいえる平然とした顔で食べている。ワサン医師はこれを見てヒューと口笛を吹く。

……男らしいぞ、友よ！

薄い唇が何か言いたげに僅かに持ち上がる。が、それはやはり固く結んでおく。都会の青年は深く下を向く。頬の肌が熱くなっているような気がした。そして、この初めて自分で作った食事の雰囲気は、淡く桃色がかった躊躇いに満ち、普段の陽気さを誇るドクターがどんなに盛り上げようと努力しても、すぐに元通りの鬱々とした空気に戻ってしまった。

押し掛けて来た二人の客は皿洗いを手伝い、亜鉛のトレイにそれらをすっかり伏せてしまうと、もう帰ると言った。ティアンは小屋の前に立ち、見送った。二台のオートバイが視界から消えてしまうと、胸の中には、大きな山が一つすっぽり切り取られたかのような空洞が残った。

ティアンは、まだ燻《くすぶ》っている七輪に点火してみた。火はすぐに点いた。薪を追加し、鍋に水を入れて火にかけた。彼は梯子段を上って小屋に入り、着るものと水浴びのための道具を整えた。その瞬間、入口扉の枠のところに置いてあった一つのビニール袋に目が吸い寄せられた。

ティアンは慌ててそれを取り上げ、中を開けた。よもや、あの鬼の隊長殿が手榴弾でも仕掛けたのではないだろうな。だが、中の物を取り出し、彼は動けなくなってしまう。

……真っ白な、新しい蚊帳《かや》。

ティアンはゆっくりと顔を下ろし、今日、がっしりと握られた手首に目をやる。虫刺されの痕が赤く膨らんでいる。突然、胸いっぱいに温かいものが込み上げ、ティアンは静かに震え出す。

蚊帳を抱きしめ、脱力してその場にしゃがみ込む。彼は自分の顔をごしごしとこする。この揺れ動く心をどうしたらいいのか分からないのだというように。

07　羞恥

七時四十五分……。今朝は、自分で沸かした温かい湯をうっとりと浴びていて、すっかり時を忘れてしまった。ボランティア教師、授業の二日目からもう遅刻しそうだ。半ば駆けるように丘を上り、崖の上の学校にどうにか辿り着く。生徒たちはすでに国旗掲揚のために列を作り始めている。ざっと見て、少なくとも五人はいなくなっているようだ。

分かっている。僕の指導では問題が大有りだ。この新人教師は話にならない、と子どもを学校にやらない保護者が出てもおかしくはない。

アカ族の子どもたちは、彼らの〝クレヨン先生〟を見ると一斉に手を挙げてタイ式の合掌をし、挨拶をするのですっかり騒がしくなった。ティアンは合掌を受け、耐えがたいくらいの疲労感を押しこめて微笑んだ。周囲を見回すと、二人の斥候《せっこう》がやはり巡回をしていた。昨日とは違う人のようだった。

教室の壁に掛けてある大きな丸時計の針が八を指すと、生徒代表の二人が国旗掲揚台の前に立った。

楽器も音楽もなく、ここではただ、風の音と木の葉のそよぎだけが自然の旋律をなしていた。それは誰でも聴けるものでは決してない。

ティアンは、竹製のポールの横に立ち、僻地の子どもたちが一斉にタイ国歌を歌っているのを眺め渡した。だが、彼自身は黙って立ち尽くし、粘つく唾液を呑み込んでいた。薄い唇が少し開いたが、そこから漏れ出したのは切れ切れの吐息だけだった。

……いつか、新世代の大衆化の波によって、国家の明日を担う子どもたちに、最高権威に敬意を表することは恥だと教える日が来るのかもしれない。

だが、ここには恥だと教える人は誰もいない。

低い声がようやく生徒たちの歌声に混じった。国旗掲揚をいつもさぼっていた奴の声だ。色褪せた国旗が、あまり滑らかとはいえない滑車によって頂点へ上り、この最果ての地のありとあらゆるものの上にたなびいた。

国歌斉唱の後の気持ちは表現しがたいものだった。自分の中の大きなネジが外れて、大声で笑いたいような気持ちといえばいいだろうか。ティアンは覚悟を決めたというように肺へ深く息を吸い込んだ。それから子どもたちの方へ歩み寄り、さらに一歩進み出て、明瞭な大声で宣言した。

「……これからは、みんな、先生のことを〝ティアン兄さん〟と呼んで下さい」

ティアンがアカ族の子どもたちの顔を見渡すと、皆、黙り込んでいる。奇妙なものでも見るような顔で見つめ返してくるので、彼はがっかりした。

「〝にいさん〟は、お兄さん、お姉さんという意味の言葉ですか？」

と、一人の子が訊く。

「なんで先生は〝先生〟じゃなくなるんですか？」

次に質問したのは、ミージューだ。今日、この子の兄は来ていない。皆が不思議に思っていることを尋ねてくる。

……なぜなら、この先生に先生の資格はないからだよ。授業の準備もできない。子どもたちへの接し方も分からない。先生、と人に呼ばれれば呼ばれるほど、自分自身の無力さが強調されるような気がする。どうにかやり続けていられるのは、本当に〝意地〟があるからだけなんだ。

ティアンは苦笑し、もごもごと口を開いた。

「先生はみんなに、弟や妹になってほしい。に……兄さんにしてくれるかい？」

小さな子どもたちは再び各々首を傾げ、困った顔をしたが、とうとう首肯した。

「はい！　クレヨン兄さん」

先生から兄さんへの降格を願い出たティアンはほっと息を吐き、生徒たちを率いて教室に入った。彼は、昨日提出するよう指示した古い練習帳をぱらぱらとめくった。前の教師は主にタイ語の綴りをやらせていたようだった。英語も少し教えていたようだが、AからZまでを書いていただけだった。

昨夜、ティアンはほぼ一晩中考えていた。そして午前二時になってようやく分かった。たとえ自分が本物の教師のようには教えられないとしても、自分のやり方を試すしかないのだ。まずは得意科目から……。

彼は後ろを向き、チョークでアラビア数字を書き並べ、タイ語で読み方を書き添えた。それから「これらの数字を読んで、兄さんに聞かせてくれますか？」と訊いた。

皆の読み方は正しかったり間違っていたりしたが、この子たちは基礎はできているのだと分かる。それで、簡単な足し算と引き算の問題を書き、解かせてみた。結果は、ほとんどが間違いだった。

……読めるけれど、計算のやり方は知らないのだな。

新米教師は後頭部をかきながら少し考え、それから全員を呼び集めた。彼は皆の前に胡座《あぐら》をかき、両の手を挙げてみせた。

「両手を合わせると指が十本です」

彼は一から順番に数えてみせ、一旦それを握って、人差し指だけを出した。

「これは、指が一本」と言い、それからもう一方の手の人差し指を出して合わせた。

「……もう一本の指と合わせて、いくつでしょう？」

山の子どもたちは人差し指二本を見て、先を争うように大きな声で答える。

「二！」

次にティアンは右手の指を三本、左手の指を二本出してみせ、同様にそれらを合わせ、また質問する。

「じゃあこれは、いくつ？」

「五！」

子どもたちの自信に満ちた声が上がり、彼はほっとする。

「合わせることを〝足す〟といいます」

都会の青年は黒板の上の十字マークを指さし、続けて問題を出した。「では、こんな風に指が五本あります」

彼は右手の指を全て広げ、そこから二本を引く。

「……残りは何本？」

「三！」

ティアンは頬に笑みを浮かべながら、さらに難しい問題を試してみる。十本全ての指を広げて
「今、兄さんは十、持っています」片方の小指と薬指を折って、「二本減りました。残りは？」

「八！」

正しい答えが出るまでの時間が早くなってきたので、思わず手を叩く。この恵まれない子ど

もたちは、予想していたよりも利発だ。彼は立ち上がって黒板の前に戻り、そこに書いておいた式を易しいものに直した。

「さあ……ここの計算問題が全部正解だったら、午後、兄さんが賞品をあげよう」

喜ぶ声が混じり合って大きく響き、外を巡回していた斥候が興味深そうに振り向いた。斥候たちが覗くと、子どもたちはこぞって指を折り、計算を始めていた。手の指が足りなくて足の指を使っている子もいる。とても楽しそうだった。

斥候たちは思う。このボランティア教師はどこから見ても、ここの人たちとは異様なほど違っている。白い肌、透明感のある顔、スリムな身体、派手な色の服……。この教師とすでに面識のあるヨート曹長や他の兵士から話は聞いていたが、実際にここまでとは思わなかった。いかにもエリートで、どうしてもこう考えずにはいられなかった。一体、〝彼〟は、この辺鄙な土地に何をしに来たのだ？

これまでのどんなイデオロギーに染まった奴らでさえ、一カ月もすれば尻尾を巻いて逃げ帰った。それで中隊では、彼らの滞在期間を賭けの対象にして楽しんでいたくらいだった。

しかし、この彼のありとあらゆる特異性は、三時間もしないうちに集落の簡素な雰囲気に溶け込んでいる。二人の斥候は顔を見合わせて笑い声を立てた。……この勝負はもらったぜ。他の奴らはこの三カ月が終わった後、次回に賭けるしかないだろうな。

三日が過ぎた。アカ族の子どもたちは、未だにクレヨン兄さんがくれた賞品に大騒ぎをしている。あれ以来、休み時間が来る度に要らない紙を持ち出し、皆で大小さまざまな鶴を折り出すのだ。最初、ティアンは、ただ子どもたちへの賞品に折るだけのつもりだった。が、折り方を教えてくれとわいのわいのせがまれ、結局、床には鶴の家族が溢れ返り、彼はカマーのビアンレーおじさんのところからプラスチックの大瓶をもらってきて鶴を入れる羽目になった。

ティアンは、毎日昼になると、ビアンレーが斥候に届けさせるピントーで食事をした。小さな子どもたちも一緒だ。だが、何日経っても、学校にアーイは姿を見せなかった。新しい先生が何か気に入らないのだろうか。あの子はトーファン先生のことがとても好きだったみたいだから。

「ミージュー、どうしてアーイ兄さんは学校に来ないの？」

ティアンは女の子の側に行って横に座った。ミージューはもち米を丸め、干し肉と一緒に食べているところだった。

「父さんは、背中が痛いです。だからアーイ兄さんは、代わりに農園に行って、仕事をしなければなりません」

……あんな子どもが大人と変わらない仕事をするだって？　彼は何とも言えない表情をした。

「それは大変だね」

ミージューは首を横に振ってみせ、誇らしげな様子でにこっとした。

「疲れます。でも、ご飯が食べられます。母さんはミージューに言います。……ミージューもお茶の葉を摘むのを手伝ったことがあります」

八歳の子の無邪気な言葉を聞き、喉が詰まるような気持ちにさせられる。かつて自分がこの子と同じ年齢だった頃、彼はお菓子を投げて遊んだり、ご飯もしょっちゅう食べ残したりしていた。外国の携帯ゲーム機も山ほどあった。何にもたとえられないくらいの便利さと快適さを持っていた。

それなのに、どうして自分は幸せではないのだろう。こんなにも美しい微笑みを浮かべることができないのだろう。

ティアンは立ち上がりストレッチをするようなふりをして外を眺めた。今日は空に雲が多く、日差しも強くない。涼風が柔らかく顔に触れ、外に出かけて集落の探検をしてみたくなる。

「よし、みんな！」

彼は手を叩いて注目させた。

「午後は英語の野外学習をしよう。さあ用意して」

十対もの瞳がクレヨン兄さんに集まり、じっとしている。何を言っているか言葉が理解できないようだ。ティアンは今気づいたというように呻き、易しい言葉で言い直した。

「私たちは、散歩に行きます。そして、英語を勉強します」

子どもたちが大喜びで騒ぎ出し、飛んだり跳ねたりする。都会の子も田舎の子も、子どもっ

ての は変わらないなと思う。教室で息を潜めていなくていいと分かった時の喜びようときたら。新人先生は、指導計画なんて知ったことかというように肩をそびやかす。……そりゃそうだ。教える側の自分だって、教室に閉じ籠ってなどいたくないのだ。子どもたちが、もっと外で走り回りたがるのは変なことじゃない。

先生と十人ほどの生徒たちが軍団となって出てきたので、二人の斥候が速やかに飛んできて質問する。

「どこへ行くのでありますか、先生？」

「この辺りをぷらぷら歩くよ。天気もいいし、日差しも強くないし」

若い兵士たちは少し顔を見合わせ、そのうちの一人が答えた。

「集落の中の道を歩いた方が良いです。この辺りは森ばかりです」

そんな風に反対される理由もないように思え、ティアンは簡単に頷いておいた。アカ族の子どもたちはクレヨン先生を先頭に尾根沿いの道を歩いていく。途中の茶畑は、村人たちの生活のために政府から土地分配を受けたものだという。そぞろ歩きながら、ティアンは身の回りの様々なものを指さして英語の発音を教え、小さな生徒たちに言わせてみる。

「サン……太陽、スカイ……空。クラウド……雲……」

聳《そび》える山の中腹。優しいそよ風。山の子たちが土地の言葉でお喋りするのに混じって、無線からの声高な音声が聞こえてくる。それで彼には、あの二人の斥候が従ってきて、離れたところで警護をしているのだと分かる。

野外学習の行列は大きな茶畑に到着した。見事に美しい段々畑が稜線に沿って下へ広がっている。ここまでやって来てから、何人かの子どもが自分の家はこの近くにあるのだと言った。それでティアンは帰宅を許可した。残っている子どもはもう数人だけだ。

「お茶は、英語で何と言いますか？」ミージューが好奇心旺盛に尋ねた。

「ティー。T、E、A、でお茶」

彼はスペルも教えてやる。かつてここに来ていたボランティア教師がタイ語も英語も教えていたようだからだ。

ティアンは、茶畑の畔道を縫って奥に入っていく。パンダーオの崖の集落への近道だと子どもたちが言ったからだ。その間にも彼はさらに三人の子どもへ手を振って別れ、残りはミージュー一人きりになった。

「お家はどこなの？」ティアンは楽しそうに先を進むミージューに訊いた。

「あそこ……」

小さな指が茶畑の向こうの丘陵を指した。ここからはもうすぐだ。

「じゃあ、兄さんが送ろう」

ミージューは嬉しそうに手を叩く。振り向くと、紅土《こうど》の道へ続く畑の脇に人々が集まっているのが見えた。ピックアップトラックも見える。アカ族の女の子は目を輝かせた。知り合いのようだ。先生の手を取り、ぐいぐい引っ張っていく。

「アーダとアーマ……父さんと母さん。あそこにいる！」

ティアンは引っ張られるまま歩を進め、その集団に近づく。山岳民族の衣装を纏《まと》った人が何やら物の詰まった麻袋をピックアップトラックの荷台に積み上げ、競うようにどんどん並べていく。町の人らしい服の人たちも五、六人、それに交じっていた。

アーイが埃まみれの顔で振り返り、妹が先生と歩いてくるのを見てタイ式の合掌をした。他の大人たちは何かの交渉をしていた。通訳者に話をしていたが、その人はタイ語と、ハニ語、つまりアカ族の言葉の両方を喋った。

「何をしているの？」ティアンは何日も会えていなかった生徒に尋ねた。

「乾かしたお茶の葉を買いに、人が来ました」

ティアンは喉の奥で返事をし、興味深そうに近寄った。乾燥茶葉をぎっしり詰めて口を縫い付けた麻袋を村人たちが秤の上に乗せる。それから仲買人のピックアップトラックの荷台に運ぶのだ。

「四キロ……」読み上げる人の声がし、茶の袋が下ろされる。

ティアンは眉間を寄せた。針が五を指していたようだったが見間違いだったのだろうか。二つ目、三つ目の袋が続く。重いものも軽いものもあったが、やはり同じ数が変わりなく読み上げられる。彼は、証人のように立っているアカ族の人の顔を見た。が、特に変わったところはない。アーイに向き直り、急いで尋ねる。

「ここの人たちは、一キロが何グラムか知っているかい？　四と五の違いは？」

アーイはまるで火星語でも聞いたような顔つきになった。

「……キロ、は何ですか？」

「キログラムとは、重さの単位の一つだ」

ティアンは、今まさに使われている秤を指さす。

「あの器械で量る時、この単位を使う」

「たんい？」

ティアンは思わず髪をかきむしりたくなる。彼は息を強く吐き出し、質問を変える。

「……いつも、どうやって売ったり買ったりしているの？」

アーイが頭をかく。何と説明していいか考えているようだ。

「彼らが来て、買います。私たちは、袋で売ります」

「……金は？」

「彼は、あの受取票に数字を書いて、お金をくれます」

アーイが町の人の方へ顔を向けた。重量をメモする帳面を手にしている。

「つまり……」騙されているのがさっぱり分かっていないのだ。が、彼は全てを言葉にしてしまう前に唇を噛みしめた。商人らもひどい。誰にも知識がないからといって厚顔にもデータを偽造しやがって。ティアンは、重量を読み上げている男の方へ堂々と進み出た。秤の上には折しも最後の茶袋が置かれる。

「四キロ……」

「五キロ二百グラム！」

怒鳴るような声に、帳面をつけていた人がぴたりと動きを止めた。顔を上げ、すらりと背の高い青年を見る。端整な顔立ちに流行りのジャケット。どう見てもこの辺りに出現しそうな男ではない。

「お前は誰だ」

「数字の四と五の違いが分かっている人間だ」

ティアンは手を広げ、無遠慮にその帳面を求める。

「その帳面を見せてくれ」

読み上げ係は慌てて帳面を閉じ、鬼の形相で目を見張った。

「お前は係じゃねえ。この村と関係ねえなら、さっさと行け」

追い払うように手をひらひらさせる。が、元将官の息子は怯まない。

「見せないということは、故意のごまかしだな」

「ごまかしとは何だ。考えてものを言うんだな、お坊ちゃんよ。オレらのところじゃ一キロ八十バーツ、キロ計算だ」

商人側の人が帳面を振ってみせる。証拠は全てここにある。が、どうしても渡さない。

「オレはこの目で見た。茶袋は五キロ以上だった。てめえらは四と書きやがった」

相手に礼儀がないなら、こっちも行儀良くする必要などない。

「喧嘩売ってやがるのか！　てめえ、きれいに死ねると思うなよ」

負けてこないのを見て今度は脅しにかかってくる。だが、ティアンも元暴走ギャングだ。高笑いして地面の茶袋を掴み上げ、この騒ぎを聞きつけた全員の注視の中、それを秤に置く。

「ほれ見ろ、五だ……それとも、お前らも数字が読めねえのか？　オレはここのボランティア教師だからな、暇だったら勉強しに来やがれ。教えてやってもいいぜ」

乳臭いガキかと思っていたらこてんぱんにやられ、町の商人の手下たちはぽかんと口を開けた。ティアンの騒ぎをよそに、商人が山の人たちへの支払いを済ませると、皆にサックダーさんと呼ばれていた長老が進み出てきた。

「何ごとじゃ？」

ティアンは、割って入ってきたその人の方へさっと振り返る。福々しい体つきで、豊かな人らしい。彼らのボスだろうか。

「……ですから、量られた商品の重量が、あなた方の付けた価格よりも多かったのです」

サックダーは脅すような笑みを浮かべ、詰め寄ってきた。

「わしらは帳面通りに払っておる」

サックダーは手下から帳面を受け取り、開いてみせる。

「ここに、一袋につき四キログラムと書かれておる。売る方も了解し、異議はなかった。よそ者の貴殿がなぜ大騒ぎすることがある」

要約すれば〝干渉するな〟ということか。ティアンは拳を固く握り、何も知らない子どもみたいに純真そうな山の人たちの顔をぐるりと眺め渡した。たった百や千バーツの金のことで重労働する貧困者を騙し込もうとは、と彼らの代わりに憤りが芽生える。

ティアンはくるりと後ろを向き、ずんずんとピックアップトラックの荷台へ進んだ。そして勢い良く飛び乗り、まだ少し地面に積まれたまま残っていたものも含め、全ての袋の数を数える。荷台から降りると、仲買人から渡されたお金と領収書を手にしたアカ族の男のところへ行った。

「見せてくれますか」

一応口では頼むが、いちいち待ってもいられない。ティアンはごつごつした泥まみれの手からお金と領収書をもぎ取ると、素早く計算する。

「二十三袋。キロあたり八十バーツ。一袋が五キロとすると九千二百バーツだな。で、これは何だ」

彼は全てのお金を広げ、激しく怒鳴る。

「七千三百バーツ。ガソリン代六十バーツも引いてある。普通の詐欺とはいえないな。こういうのは、いけ図々しい詐欺っていうんだよ！」

「思い込みで仰《おっしゃ》っているようじゃが、わしらは領収書の通りに払っておる。こんな嫌疑をかけられては、貴殿を通報するよりないようじゃな。名誉毀損じゃ！」

サックダーは突き出た腹の肉をぷるぷる震わせ、支離滅裂なことを言い出した。

ティアンは勝ち誇ったようににやりと笑い、携帯電話を取り出した。それは癖でつい持ってきただけで、バッテリーが切れているのだが。

「ではもう一度、茶袋の計量をしよう。全ては僕が証拠写真を撮る。それから一緒に刑務所へ入ろうぜ、長老」

サックダーはひたすら歯ぎしりした。……この生意気な小僧は頭も切れるわ、恐れも知らぬときた。これまでの空論ばかりご立派なボランティア教師らとは違う。彼らも村人たちを助けようとはしたが、難癖をつければどいつもこいつも町へすっ飛んで逃げ帰りよった。まあいい、口で分からぬなら、奥の手を使うまでよ。

「それで貴殿らはこの金が要るのかね、要らないのかね？」

長老は腰に手をやり、アカ族の村人たちの方へ大声で言った。通訳者が慌てふためいて訳す。

ミージューとアーイの父親と思われる人物が、二人の子どもたちを腰にしがみつかせながら、緊迫状態で対峙する両者を見やった。どうしたらいいのか分からない。だが、息子の通訳で概要は分かり、自分たちが詐欺にあっていたことは推測できた。そして、この先生が代わりに争ってくれていることも。

「あと千八百四十バーツを返せ。六十バーツはガソリン代ってことで差し引いてもいいぜ」

ティアンが、挑発するように眉をひくひく上下させる。嘲りを受けた側は、怒りで脳の血管がぶち切れそうになる。

「言って分からぬなら、もう言わぬ。そんな商品はもう要らぬわ。お前たち、車から降ろして粉々に踏み潰せ！」

サックダーの怒鳴り声が響き渡る。手下たちが一斉に袋を投げ下ろし、袋の口の縫目が破れて乾燥した茶葉が地面いっぱいに散らばる。さらにひどいことには、彼らは飛び降りてきて麻袋を踏みしだき、破いて一切合切だめにしてしまった。

村人たちは自分たちの商品が台無しにされるのを見て、束になって制止にかかる。ティアンも闘争心を燃え上がらせ、一番近くにいた男の顔をいきなり殴り飛ばしてしまう。他の手下たちは仲間がやられたのを見て、報復に襲いかかる。しっちゃかめっちゃかな格闘になってしまった。

その時、銃声が続けざまに数発響いた。混乱の全てが瞬時に静止する。防護服に防弾ベストという完全装備のパトロール隊兵士が約十名、突入して事態を制圧する。殴り合いになっている者たちの上衣を引っ張って全員を引き離した。

プーパー隊長は、先刻地表を撃ったばかりのM16自動小銃を携え、直立して、血気盛んな教師を音も立てず凝視している。その二つの瞳は厳然と恐ろしいまでに鋭く、見ただけで誰もがへなへなと座り込んでしまいそうなくらいだ。が、このティアン・ソーパーディッサクンは違う。美しい顔はあざだらけになってもその自尊心は失われない。

「早耳だな、隊長」

「その口を利ける顔が残っていてよかったな。来るのが遅れていたらどうなったと思うか！」

たまたまパンダーオの崖の集落パトロール隊を率いていたのだ。物陰で事態を目撃した斥候が速やかに無線を寄越してきたのだが、とにかく早くと急かしてきたので、重傷者を出す前に間に合った。

「僕を叱ってどうするのさ。あっちの厚顔無恥な詐欺師を確保しろよ」

ティアンは長老らの方を指した。あちらも負けず劣らず痛手を受けている。

「詐欺は詐欺、喧嘩は喧嘩だ。もし彼らが武器を出してきたら、君はどうするつもりだったのか。こんな揉め事はな、君が犬死にするだけでなく、村人にも多大な迷惑がかかるんだ」

「だって僕は見たんだ。奴らが村人の金を騙し取るのを、この目で、だ。黙って役所の対応を待てとでもいうのか？　来世になっちまう！」

プーパーは、絶え間なく主張する相手を見た。暴力沙汰の発端が自分自身であるとは思いもせずにただ激怒しているようだった。彼は細い手首を掴み、手加減せず力いっぱい引き寄せ、低い……そして氷のように冷たい声で言った。

「ティアン。君は賢い。こうした輩《やから》に対して暴力で問題解決するのではなく、方法はいくらでもあるということを君は知っているはずだ」

薄い唇が少し開き、何か言い返そうとしたようだった。だが、自分を見つめる厳しい瞳に失望の色が潜んでいるのに気づき、ティアンは唇をきつく合わせる。

……僕が何をしたって、どれもこれもろくでもない過ちにしかならないのだ。

ティアンは腕を振り払って逃れると、くるりと後ろを向き、何も言わずに去った。プーパーは彼を逃がすまいとも思ったのだが、できたことといえば、そのほっそりした背がだんだん遠ざかっていくのを重苦しい気持ちで見送るだけだった。プーパーは二人の斥候に宿舎まで追尾するよう命じた。自分はまだここに残り、あの跳ねっ返りのお坊ちゃまがやらかした物事に片を付けてしまわなければならない。これが大きな炎に燃え広がってしまわないように。

ハリケーンランタンの光が、小さな小屋を満たしている。細い体はよれたTシャツと楽なボクサーパンツという姿で古びたマットレスにうつぶせになっている。その頭上には、清潔な白い蚊帳《かや》。まだ裾を下ろしてはいない。折り曲げた細い脚が宙を蹴る。手には、コンパクトなサイズの手作りノート。彼の命を繋いでくれた一人の女性の人生が綴られた物語のノート。

ティアンは、脱力してため息をつく。トーファンがここへ来た最初の週、彼女は夜明け前に起きて村人が茶摘みをするのを楽しく手伝った。一方の僕は、殴り合いの喧嘩で商品を台無しにする始末だ。

……比較してどうするのだ。

宿舎に帰り着く前に、彼は村長の家に寄った。今日起こったことを訴えるつもりだった。だが、カマーのビアンレーおじさんは朝から会議でチエンラーイ市内へ行き、まだ帰宅していなかった。なるほど、商人らはいけしゃあしゃあと、村人たちの利益を守る人がいない時を見計らって、搾取をしに来たのだ。

彼はやり切れない思いで可愛らしい色の日記帳を閉じ、それを元のリュックに投げ入れた。何げなく寝返りを打って仰向くと、傷に響いてひどい痛みを覚えた。たとえシャワー室の鏡がなくとも、口元や身体がこれだけずきずき痛むのだから、大体は想像できる。相当ぼこぼこにされたわけだ。彼が帰った後、軍がどのように事態を収めたのかは知らなかった。

……怒っているだろうか？

隊長の彫りの深い顔が激怒しているところを思い浮かべると、後悔の念が心に芽生えかけた。が、ティアンの意地がそれを認めなかった。

時計に目をやると、それは十時半を指していた。もう寝てもいい時間だが、無理に目を閉じても眠れそうにはなかった。ティアンは家の前の狭い縁側に出て、寒風に吹かれながら月や星を眺めた。

その場所から遠くはない、集落の幹線道路たるでこぼこ道を一台の小型のオートバイが走ってきた。それは闇を抜け、どんづまりにある教師の宿舎に着いた。鬼みたいな体躯の男はいつもの樹の下にオートバイを停め、エンジンを切る。そして、オートバイの前籠からビニール袋とスポーツタイプの旅行バッグを出した。

プーパーはちっぽけな小屋へ直進する。この時間になっても灯りがまだ漏れていた。竹製の縁側には、ぼんやりとした影が膝を抱えて扉へ寄り掛かっているのが見え、ほんの僅かだが動揺してしまう。

「こんな遅くに、なぜそんなところで蚊に刺されているんだ」

プーパーは訊き、もう一つ、目の丸くなるような問いかけをする。

「……それとも、私を待っていたのか？」

「酔っ払っているのか？　意味不明だ」

ティアンは、うんざりした顔をしてみせる。心の奥底では、半分当たっているのだが。

プーパーはすぐに寝られるような服に迷彩柄のジャケットを羽織っている。それでもわざわざ寒風を切ってここまで来たわけだ。家の前の低い梯子段を上り、座り込んでいる人にビニール袋を手渡す。

「傷薬とあざの改善薬だ。ドクターの野郎にもらってきた」

実は、本人も一緒に行って自分で診るとやかましかったのだが、振り切ってきた。

「ドクターにありがとうとお伝え下さい」

ティアンは手を伸ばして袋を掴む。が、相手が袋を一向に放してくれない。

「で、私には？」

その目を見れば分かる。謝礼を求められているのは薬のことだけではない。昼間の事件を片付けてもらったことも含んでいるのだ。ティアンは頭を下げ、口の中で呟く。

「……ありがとうございました」

「揉め事を起こす時も、小さくやるんだな。ちょうど今の声くらいに」

「また皮肉だ！」

落ち込んでいた気持ちがまたも苛立ちに変わる。ティアンは袋をもぎ取るように引っ張った。が、隊長も引っ張り返す。ビニール袋は破けそうだ。

「自分では見えないだろう？　家に入れ。私が塗ってやる」

と言うなり、長身の大きな体は答えも待たず扉の後ろへ消えてしまう。怪我人は口をあんぐり開けた。慌てて立ち上がり、後に続いて行ってわめく。

「いいって！　自分で塗るから。もう帰って下さいよ」

プーパーは振り返り、綺麗な肌の顔を静かに見つめる。

「……私は帰ると言ったか？」

「まさか……泊まるつもりじゃ」

「そうだ。君は問題を起こした。あの商人たちが回れ右して今晩揉め事を起こさないとも限らないではないか」

　彼は本当のことを言わない。サックダーらが諦めて帰る前に、どんな捨て台詞を残していったかということを。

「もし彼らが手下を大勢率いてきたら、あなた一人で何ができるっていうんだ」

　ティアンは侮るように冷笑したが、この軍人がシャツの裾をめくり上げて腰回りに挟んだ拳銃を見せて来たのではっと口を閉じる。

「……これから数日は、集落の周辺の警備を特に怠りなくするよう部下に命じてある」

　呼吸が苦しくなる。短気な自分の後先を考えない行動のせいで、多くの人に迷惑をかけてしまったようだ。彼は自分のリュックの方へ戻り、隠しておいたお金を一包み出して来てプーパーに手渡した。

「これは商人らの金だ。喧嘩の時にパンツのポケットに突っ込んでおいたんだ。それからこっちは僕の金。少ないかもしれないけど、ありったけ持ってきた。商品をだめにしてしまって僕が謝っていたと村の人たちに伝えてくれないか」

　プーパーはサックダーたちの分だけを取った。

「君の金は持っておけ。実は、村の人たちは君には感謝しているんだ。詐欺師をやっつけてくれて。そう伝えてほしいと言っていた」

　彼は両手を出して、ティアンが自分のお金を握っている方の手を包み込んだ。そして真剣な声で言った。

「だが、私に約束してほしい。もう無茶はしないと。君に何かあったら〝悲しむ人〟がどれだけいることか」

〝悲しむ人〟の中にはあなたも含まれているのだろうか……ティアンは頭を振って、熱くなる頬に立ち上ってきそうな羞恥を振り払った。

「分かってるって。ほら、薬をつけてくれるんじゃなかったのか？　さっさとしろ。眠いんだ」

ティアンはせかせかと言う。心臓に危険なこのシチュエーションを追いやってしまうために。

が、それは明らかな自殺行為だった。次の場面はこうだったのだ。

「それなら、服を脱いで座れ……」

ティアンはその平板な口調の命令を聞いて飛び上がりかけた。

「何だって！　あなたは……」

「薬を塗る。何を考えてるのか分からんが」

プーパーは眉をひそめる。さらに、首都から来たご令息が服を脱ぐのを手伝おうとさえしてくる。

「自分でやるから！」

ティアンは大声で叫び、後ろを向いた。息を止めて丸首Tシャツを頭から引き抜く。それからゆっくりと体を下げていき、怒ったように胡座をかいた。

若き軍人も続いて座り、背中全体に目を滑らせて確認する。すべすべした白い肌は、今は誰かに絵具をかけられたように青あざや紫斑で埋め尽くされている。彼は近頃の若者の短気さには呆れたというように首を振り、薬のチューブを絞った。

節くれだった太い指が、刺激臭のあるクリームをあざに滑らせるようにのばしていく。その力が強く、ティアンは大きく叫んだ。

「もっと優しくしてくれよ。人の肌だぞ、木切れにカンナをかけるのとは違う」

「暴れ回って奴らを殴っていた時は、こんな痛がりには見えなかったが」

プーパーは打ち身に効く軟膏を皮膚に浸透させようとして、それをのばす手を止めない。力を弱めようという気はまるでないらしい。

ティアンはあてこすられ、怒ったように唇を曲げる。もう言い返す気にもならない。さざ波のような抗議の声を上げるだけだ。背中全体に薬を塗り終えてしまうと、隊長は前を向くように命じた。トラブルメーカーのお坊ちゃんはもちろん、即、断る。

「だからいいって！　前は自分で見えるから。自分でやるって」

「いちいち文句言うな。どうせ手も軟膏だらけだ、一度にやってしまう方が早い」

プーパーは譲らず、薄く筋肉がついた細い腕を掴んで回転させる。ティアンは服をきつく握り、胸のあたりを隠している。強姦されるとでも思っているみたいに。

「……なあ、塗るのは別のところにしてくれないか」

ティアンは目をぎゅっと瞑《つむ》って顎を上げ、殴られた唇の端や頬を見せる。

「これくらい……」

恥ずかしがることもないだろう、と言いかけたところで、滝での記憶が脳裏によみがえった。そうか、胸部の長い傷痕を見られたくないのか。プーパーは首を捻った。彼自身、縫合痕なら体じゅうにあるが、他人に見られても別に何とも思わない。この金持ちって人種は、まったく理解しがたい。

「それなら服を着ろ。風邪をひいてしまう」

シャイな男はほっとし、急いで体をねじるようにして服を着ける。それから、しぶしぶというように相手の方を向き、「あざはひどいかい？」と、自分の顔を指す。鏡がなかったからだ。

隊長は苦笑し、薬のチューブを絞る。

「まったく……ハンサムが台無しになるのが怖いか？」

「怖い。歯を磨いたら、吐き出した水が血だらけだった」

「まだ大丈夫だ。が、これ以上になったらもうお終《しま》いだ」

ティアンに牙を剥かれ、プーパーは喉の奥で微かに笑った。

プーパーのごつごつとした指が頬へ移り、躊躇《ためら》いながら撫でていく。こんな紫に腫れてしまってもったいないな、と思う。その時、ティアンの澄んだ目がゆるゆると開く。瞳の中に互いの影が映った瞬間、世界が静止したような気がした。

　プーパーは、もう一方の手を持ち上げてそっと顎の丸みに触る。淡いピンク色の薄い唇は乱暴な接触を誘っているかのように、ほんの少し開きかかっている。彼はそこへ近づくように顔を俯かせた。鼻先が当たる……。そこで二人ははっと飛び上がり、各々一万メートルずつ離反した。

　ティアンは咳払いしたり頭をかいたりあれこれし、困惑が落ち着く頃には髪はすっかりくしゃくしゃになってしまった。さっきのは何だったんだ？　彼は慌てて蚊帳の方へ逃げ、上にからげてあった裾を下ろしてマットレスに挟む。そしてそこへ潜り込み、瞑想するかのようにしばし座り続ける。

　その外では、強靭な体躯の軍人が自分の顔を撫で回しながら狼狽で何もできずにいる。しばらくして、蚊帳の中から小さく呼ぶ声がした。

「泊まるんじゃなかったのか？　早く入って来いよ、眠いから」

　思春期の少女よろしく恥じらっていたところで仕方あるまい。何はどうあれ男同士なのだ。ただ、この無表情軍人の性的嗜好についてはあまり確信が持てないのだが……。

　それにしても、この台詞を最後まで喋り遂げるためには、どれだけの精神エネルギーを必要としたことか。

　ハリケーンランタンの灯りが少しずつ薄れ、消えた。それがプーパーの返事だった。ティアンは体を横たえ、相手の方に背が向くようにしてやった。大きな体はすぐに蚊帳をめくり、入ってきた。マットレスは狭かったが、二人は互いの間に隙間を作る。

プーパーは自分の腕を枕にして横向きに寝ている。いつもやり合っている二人が並んで寝そべりながら沈黙を続けているのは、おかしなことに感じられた。

「ティアン。夕飯は何を食ったのか？」

プーパーはこんな愚かな会話しか始められない自分の口を叩きつけたい気持ちになる。

「……ビアンレーおじさんが、カイラン菜の炒めものとご飯を分けてくれた。ちょうど湯を沸かして水浴びしたところだったから、卵焼きも作った」

背後から低く聞こえてくる声は明るかった。さては誇らしいのだな。プーパーは冷やかしてみる。

「真っ黒焦げにしてこっそり捨てたりしてないだろうな」

「また侮辱する！　焦げたのは端のちょっとだけだ。習うより慣れろというじゃないか」

新米シェフは言い返した。ついさっき、自分が相手に抱いたとてつもない不信感はすっかり忘れてしまう。

「明日の朝、証明しろ」

「嫌だ。学校がある。水浴びするのに早起きして湯を沸かすから、それだけでうんざりだ」

そのぼやきを聞き、プーパーは体をくるりと反転させ、大笑いしたいのを必死にこらえて静かな声で言った。

「ティアン……明日は土曜日だ。どこの子どもが学校に来るんだ」

「何だって！」

熱心なボランティア教師は、飛び起きて腕時計を探す。それは四角い枕の横に放ってあった。目を凝らし、パネルの上の小さな文字を見る。〝ＦＲＩ〟……金曜日。つまり明日は本当に土曜日だ。休めるぞ！

ティアンは顔いっぱいに大きく微笑む。どさりと体を横にすると今度は相手の方へ機嫌良く顔を向ける。

「それじゃあ慌てて寝ることもないな」

「で、何をするのか？」

ティアンは、淡いブラウンのいたずらっぽい瞳で辺りを少しの間見回し、それから目を輝かせて横にいる人を見つめた。

「……あなたと喋る」

「眠いと言わなかったか？」

「もう目が冴えちゃったんだって」

プーパーはしばし沈黙し、そして自分の口元を指した。

「私の口の動きをよく読めよ。……だが、私は、眠い」

彼ははっきり口を動かすと、知らん顔で元通り背を向けた。ティアンは唖然とする。

僕を拒むとはいい度胸だな……。我儘坊主魂がむくむくと頭をもたげ、ティアンは鬼軍人に手を伸ばし、丸太みたいにびくともしない体を延々と揺すっていたが、いつしかすとんと眠りに落ちていた。

その細い指は、迷彩柄のジャケットを離さずしっかりと握り締めている。

プーパー隊長は閉じた瞼の下で微笑む。普段は眠りが深く、夢など見たこともないのだが。

……今夜はきっと〝いい夢〟が見られるだろう。

08　誇り

新米ボランティア教師は、宣言していた通りに朝寝をむさぼっている。九時半になってようやく、屋根から拡散する日の暑さで目を覚ました。

ティアンは起き上がって体の筋を伸ばし、昨夜隣に寝ていた人が消えていることに気づく。もう基地へ帰ってしまったのかもしれないな。彼は特に気にも留めなかった。が、タオルと歯ブラシを手にした時、昨夜その人が持っていたスポーツバッグが目に入る。

変だなと眉が上がる。梯子段を転げ落ちるように下り、高床下を見ると、簡単な食事が床机《しょうぎ》の上に置かれていた。塩漬け卵、缶詰から出したキャベツ漬。粥の鍋はすっかり冷え切っている。が、探している人の影はどこにもない。

……どこ行っちまったんだ？

ティアンは次に裏手の水甕《みずがめ》の方へ向かった。いつも水をいっぱいに満たしておいてくれる人には、心から感謝してしまう。彼は服を脱ぎ、ボクサーパンツ一枚になった。それから、そのすぐ近くにある便所の扉に服を掛け、洗顔や歯磨きをした。

日はもうちょうどいい暖かさになっていた。わざわざ湯を沸かして混ぜる必要もない。彼はプラスチックの水汲みで冷たい水を汲み、体にかけていった。その動作は初めの頃より板に付いている。もうじきにすっかり慣れてしまいそうだ。

竹炭石鹸をたっぷり泡立てると、いつものようにジャスミンの爽やかな香りがする。彼はボクサーパンツの端から手を突っ込んで洗い、続いて中を水ですっかりきれいに流した。この近くに村人たちがいるわけではないが、羞恥心があるので、すっぽんぽんを山の神や森の神にさらす気にはならない。

ティアンは、掛けておいたタオルで体をすっかり拭いた後、それを腰に巻いて端を挟み込んだ。それからびしょ濡れのボクサーパンツを脱ぎ、元のTシャツを上から着れば終了だ。彼は口笛を吹きながら家に上がり、自分のリュックを探る。そして大声で叫んだ。

「やべえ！　服がない」

ブルジョア青年は髪をかきむしる。用意してきた衣服は一週間でちょうど終わりだった。さて、どうする。洗濯なんかしたことない。洗剤もない。

「どうした……便秘か？　便所が詰まったか？」

今戻ってきたばかりのプーパーが訊いた。見ると、ティアンは頭を抱えている。喉を切られて死にかけているかのように深刻そうだ。

「もっと大問題なんだって！」

潔癖な青年はおいおい声を立てて泣き出したいという顔だ。

「……新しい服が、もうない」と告白され、真面目に聞いていた方はひっくり返りそうになる。

「なら、洗濯しろ。難しいことではない」

「それが難しいんだって！　洗濯なんかしたことないんだよ」

プーパーは、自分の額をぴしゃりと叩いた。ああ、忘れていた。この都会のお坊ちゃまは何一つやったことがないのだった。できることは、高価な携帯電話をいじることだけなのだ。彼はやれやれと首を振り、それから自分のスポーツバッグの方へ行き、予備の服を出してやった。

「とりあえず私のを着ておけ。後で川に連れて行ってやる」

ティアンが目をやると、それは色褪せてよれよれになったシャツと、ゴムの伸びたショートパンツだった。……恐ろしい。

「それを僕に着ろと？」彼の家だったら、雑巾行きにするにも悩むくらいだ。

「裸の方がよければ、別に構わない」

プーパーはそれらを片付けようとしたが、ティアンは素早く奪い取った。それから、緑がかったカーキ色のシャツに基地の名前らしい紋章が縫い込まれているのを見て、疑問を口にする。

「これは軍隊の服じゃないか。僕は軍人ではない。着たら、違反にならないのか？」

「……ならない。軍人の女房なんかよく着て歩いている」

プーパーは简潔に答えた。が、服を掴んでいたティアンはぎょっとして固まる。きめ細かい頬が真っ赤になりそうだ。

ティアンは大声を出す。

「僕はあなたの女房じゃないぞ！」

……そのでかい体の喉元を一度蹴りつけてやりたい。が、問題は足がそこまで届きそうにないことだ。

プーパーは肩をふんと揺すり、くるりと入口の方を向いた。

「早く支度しろ。下で待っている。飯だ」

その何もなかったような低い声が、ティアンの憤怒のツボを思い切り刺激する。おのれ、僕がガキなら床に叩きのめしているところだ。ティアンは自分のシャツを脱ぎ捨てた。背に腹はかえられず奴の服に着替える。古くて色褪せてはいるが、洗剤と柔らかい日差しの混じった良い香りがして、なんともいえない心地よさと温もりを感じる。

ティアンはぶるっと首を振り、戯言《ざれごと》めいた思いを払拭した。急いで下りていくと、プーパーは床机に座って待っていた。鍋の粥は七輪で温め直され、白い湯気が立ち上り、良い匂いを漂わせていた。腹を空かしたブルジョア青年は遠慮なく食らいつくように粥を碗によそい、塩漬け卵と一緒に食べる。プーパーはその我を忘れた食いっぷりが可笑《おか》しくて内心微笑んだ。

……胡座《あぐら》に、色褪せたシャツ。よれよれのパンツに、くしゃくしゃの髪。もし鏡があったら、こいつは悶え死ぬだろうな。

朝飯を終え、プーパー隊長はボランティア教師を連れ出した。ビアンレーおじさんの家でたらいを借り、使用済みの衣類を入れる。さらに数キロ歩き、例の滝へと向かう。岩崖から真下の滝壺へ落ちて砕け散る水の糸がざあざあと音を立て、ティアンはもう一度ここで水浴びしたいなと思う。

それほど離れていない場所で、集落のアカ族の若い女性たちが洗濯をしていた。彼女たちは澄んだ流れの傍の大きな岩の上で踏みしだいていた。互いに笑ったり囁《ささや》き合ったりしていたが、辺りに二人の青年が歩いてくるのを見ると、恥ずかしそうに微笑みかけた。プーパーは軽く会釈して挨拶した。それから、その場を避け、ティアンと二人で下流の方へ移動した。

ティアンはひどく重いたらいを大きな平たい岩の上に置き、面倒くさいなという顔をする。それから、鬼隊長の方を振り向いて言う。

「……隊長。この衣類は足で踏むのには耐えられないと思うのですが」

「値段の付いていない村人たちの手織り布だって耐えている。君のその馬鹿高い服が耐えられないことがあるか。さもなくば、何千バーツも出す価値がどこにある」

プーパーは体をかがめ、しゃがみ込んだ。そして派手な色のシャツやパンツを取り出し、山にする。

「衣類はそれぞれ用途に応じたデザインになってると思うんですよ」

都会の青年は突っかかるように腰に手を当てる。

「真面目な話だぞ、隊長。皮肉るなよ」

「なら、手で揉むだけにすればいい」

若き軍人は細い腕をぐいと引き寄せ、横に座らせてから言う。

「順々に水に浸せ」

ティアンは不承不承に従う。シャツを水に浸けながら、ふと疑問が湧く。

「で、どうして石鹸を持ってきたんです？　洗剤じゃなくて」

「我々の先祖の時代は食用酢を使っていたんだぞ。この石鹸は天然成分だから環境を破壊しない。人の体をきれいにできるのに、布をきれいにできないわけがあるか」

そう言われ、喉の奥で罵りつつ、石鹸を布に擦りつけた。泡立ててから手で不器用に揉んでいく。中隊長殿が再び口を挟み、命令を下す。

「もっとしっかり持て。手で強く揉め。汚れのひどい箇所は石鹸で擦れ」

ティアンは濡れた布を持ち、嫌味たらしく思い切り強く揉む。その時、縫目がびりっと破ける音がした。……静寂。ティアンは目を思い切り見開き、それから、精神的な傷の大きさに耐え切れず、わめいた。

「この野郎！　トップマンのシャツが……あなたのせいだ」

ティアンはいきなり立ち上がり、派手な色の極めて高価なシャツを、座っていた鬼軍人に向かって振り回す。清涼なジャスミンの香りのする白い泡が塊となって、プーパーの顔を完全に直撃した。

　プーパーはゆっくりと立ち上がり、その長身をあらわにする。背後に真っ黒な影がのしかかり、ティアンは思わず身を退けてしまう。がっしりした手が竹炭石鹸の泡を頬骨の辺りからがばりと拭い取る。恐ろしい目が睨んできて、ティアンは口をからからにして固まってしまう。

「あ……あなたが悪いんだからな。僕の罪ではないぞ」と、言い訳を口にするが、それで状況が改善するわけでは全くない。

「罪はない……」

　プーパーは咆哮するような低い声を出す。次に、雷鳴を轟《とどろ》かせるかのごとく怒鳴りつけた。

「が、罰はある！」

　ティアンはぎょっとして、飛びかかってきそうな相手にうっかり手の中の濡れたシャツを投げつけてしまう。つまり、さらに事態を悪化させたわけだ。

　プーパーはシャツを投げ飛ばす。その高価さを意に介することはない。そして手を伸ばし、いたずら坊主を捕まえて尻叩きの刑にしてやろうとする。が、相手も猿のようにすばしこい。ジャンプして小川を走り、膝の深さの辺りまで逃げる。水面が弾け、大きな輪が広がった。

　プーパーはその脚の長さを活用し、いとも容易にこちらへ来てしまう。ティアンは新戦術を使うしかない。くるりと振り返り、白兵戦に持ち込む。水を掬い上げ、至近距離でぶっかける。追手は腕を振り上げる。本能的に顔をブロック、ぎりぎりで間に合う。

「そう来るか。今に見てろ！」

プーパーはシャツを脱ぎ、それを盾にしながら直進、簡単に敵を確保してしまう。もう逃げられない。

「おい！　息ができないってば」

この馬鹿力め……。ティアンはじたばたと足掻《あが》き、腰を捕らえている強靭な腕から逃れようとするが、とても成功しそうはない。プーパーは抱きとった相手をくすぐりの刑で処罰した。くすぐったがり屋は大声でわめき、脱力して体をくねらせる。

敵に弱点をまた一つ知られ、ティアンは激しく憤る。そこでとある戦術で対抗することにする。彼は硬い筋肉に包まれた腕に爪を強く立てる。これは効果があった。プーパーは痛さで腕を振り払う。が、執拗な追撃の手は緩めない。もうまるで子どもの戦争ごっこだ。二人はかがみ込んで水を掬い、攻撃し合う。結局、体じゅうびしょ濡れになった。

ティアンは接近戦による仕返しも試みる。彼は後ろから太い腰にむしゃぶり付き、腹の厚い筋肉にくすぐり攻撃を浴びせかける。が、蟷螂《とうろう》の斧で巌《いわお》に立ち向かうようなもの、奴はびくともしない。鬼の体躯の持ち主は、顔を歪め、歯を剥き出して冷笑する。

「残念だったな。私にくすぐりは効かない」

「面の皮だけじゃなくて全身厚いのか」

「まだ懲りないのか！」

プーパーはラグビー選手のようにチャージダウンする。ティアンは体重がずっと軽いので、そのまま空中に持ち上げられてしまう。ティアンは警告の叫び声を発し、プーパーがニシキヘビのようにきつく巻きついていたのを、ついうっかり脚払いしてしまった。おかげでもろとも背中から転倒する。

透明な水が空へ大きく飛散し、二人の青年に降りかかってきた。体じゅう、もう濡れていないところは一つもない。プーパーは軽くため息をついた。良かった。素早く身体を反転させ、自分が下になるように落下できた。そうでなければ、この痩せっぽちなお坊ちゃんの骨は確実に折れ、ばらばらになっていたところだ。

上に跨がって乗っていた男は、混乱しつつ体を起こした。自分の下で台になっている温かく分厚いものは何だろうと考え、仰天して尋ねる。

「おい、頭打ってないか！」

心配してるんじゃない、ただ、水底はごつごつと石だらけだし、この歳でもう殺人者になり果てるのは困るから……。

「頭は打っていない。が、体が折れそうだ。いい加減にどけ。重い！」

そう言われたトラブルメーカーは、命令に従うどころか大声で笑い出す。

「何が可笑しい……」

ティアンはむっつりといかめしく言ってくる軍人を見て、さらに口を広げて笑う。

「あなたが可笑しい。見ろよ、その格好」

小麦色の素肌。濡れて頭に張りついた髪。それが水中に横たわり、どう見てもアシカだ。おまけに白い牙をしょっちゅう剥き出すところまで似ている。

きゅっと細めた美しい瞳が陽光の中できらきら輝いている。プーパーはぞくっとする。理由もないのに。プーパーは、おそらく、こいつがまた何か心の中でたくらんでいるんだろうと思った。ふんと鼻息を吐き、細い身体を持ち上げて自分の体から引き離した。

「遊びは終わりだ。洗濯の続きへ行け。今すぐ！」

「はいはい、隊長。本当にすぐ命令するんだから」

憎らしいのでティアンはわざとらしく敬礼し、しばらくグズグズしていたが、しぶしぶ洗濯物の山の方へ戻り、残りを片付けた。

太陽は頭上に差しかかっていた。二人の青年はようやく滝壺から引き返していく。正午の灼けつく日差しのおかげで、寒風が吹き抜けてもそれほど肌を刺激したりはしなかった。彼らは、集落の真ん中の人の多い道を選んで歩いた。びしょ濡れの体は、通りがかりのお年寄りたちに可笑しくも愛らしくも感じられた。

「どうして今日は人が多くて騒がしいのかい？　もしかして、農園の仕事も土日は休みなのか」

バンコクの青年は不思議に思って尋ねた。いつもだったら、村人たちは夜明けと同時に作業に行ってしまい、帰ってくるのは日暮れ時だったからだ。だが、今日はぞろぞろと人にすれ違う。

「結婚式の準備をしている」

プーパーは振り向いて簡潔に答えた。が、聞いた方は、わざとらしく目をガチョウの卵くらい大きく見開いてみせる。ティアンはからかうように言う。

「そういえば、今朝、あなたはビアンレーおじさんの家に行っていたらしいけど、おじさんの娘をもらいに？」

鋭い目でちらりと見ると、トラブルメーカーのお坊ちゃんは驚いたふりをしている。蹴飛ばしてやりたい奴だ。プーパーは呆れたように言う。

「……ビアンレーおじさんには息子しかいない」

ティアンは鼻を鳴らし、小さくはない声でぼやいた。

「それじゃあ、ますます悪くないじゃないか」

「何をぼやいている。早く歩け」

プーパーは急かし、洗濯物のたらいをまだ抱えている細い腕を引いてビアンレーの家へ向かった。乾いた衣服を借りて着替えるためだ。さもないと二人とも風邪をひいてしまう。

村長の家は村人たちで溢れ返っていた。集落の青年が結婚をするので、相談に来ているのだ。行列を率いて、違う集落の娘さんをもらいに行くという。彼らは二階の広々とした客間に茣蓙《ござ》を敷いて座っていた。話し合いは活気に満ちていた。彼らは、新たに梯子段を上がってきた訪問者の方を見る。

ずぶ濡れの青年二人は大声で家主を呼ぶ。家に入って木の床を湿らせてしまうのは憚《はばか》られたからだ。呼んでいるのが誰だか分かると、カマーのビアンレーはすぐにいそいそと乾いた布を探しに行き、足を拭くよう勧めた。

「水遊びですかな？」

その言葉を聞き、天敵同士が睨み合う。それから視線による戦闘をひとしきり繰り広げた。ビアンレーは笑いをこらえることができない。剛健な軍人と新人教師が子どもみたいに喧嘩しているのだから。

「隊長はおそらく暑かったのでしょう」

ティアンが皮肉を言う。すると、相手は冗談を受けずに淡々と答える。

「私は寒い……」

一瞬の沈黙。ビアンレーは冷戦が勃発する前に慌てて咳払いする。

「着替えがないのですな？」

そう分かったのは、二人が洗濯物を入れるたらいを借りに来た時、先生が軍隊の緑色のＴシャツを着ていたのを覚えていたからだ。こんな風にびしょ濡れで戻ってきたところを見ると、着替えの乾いた服はないのだろう。

「では、息子の服を探してみましょう」

「すみません、カマー」

プーパーが遠慮がちに言い、注目の的になっているトラブルメーカーのお坊ちゃんを引っ張って外に連れ出した。濡れて張りついたTシャツの下の細い身体を村人たちがまじまじと眺めていたからだ。

ティアンは床机の上で膝を抱き、寒風が吹く度にぶるぶると体を震わせた。対して、もう一人の方は全く平気のようだった。彼は憎らしく思い、紫に変色した唇を曲げる。

「どこが〝寒い〟だ。そういうのは〝何ともない〟というんだ」

嫌味を言うと、鋭い目がちらりと見た。そして唇を上げ、小憎らしい笑みを浮かべ、これまで以上にどきっとするようなことを言う。

「……心が寒い」

ティアンは何も言い返せず呆然とする。かなり経ってからようやく脳がその言葉を処理し、慌てて首を折り曲げるようにして嘔吐するふりをした。

「うえ。マジ吐きそうだ。それはメロドラマか？」

若き隊長は嫌がられたのに全く動じず、肩を揺すった。ちょうどビアンレーおじさんが服を持ってきてくれたので取りに出ていく。彼らは礼を言い、着替えのために教師宿舎へ戻ることにする。何にでも恥じらうバンコクの青年が、あばら家の一つしかない部屋を占領して着替えた。軍人は高床下で濡れた服を脱ぎ捨てる。

ティアンはタオルで頭と身体をすっかり拭き取り、借りてきたばかりの乾いた服を手にする。が、それを身につけようとして、ぎょっと固まった。服を広げてみると、それは手織り綿の藍色の衣服で、裾に色鮮やかな模様が刺繍されている。ズボンは紐が長々とくるぶしの辺りまで垂れていた。

ティアンはいわく言いがたい顔をした。隊長が服を受け取ったので、自分はよく見ていなかったのだ。……さて、どうしようか。

凍るように冷たい風が小屋の中へ流れ込んでくる。決断は難しくなかった。ティアンは羞恥心を抑え、アカ族の衣装を素早く身につけた。さもないと寒さで凍りついてしまう。彼は洗濯物のたらいを引き寄せ、窓枠に並べて干した。干し切れなかった分は縁側のほんの僅かなスペースに掛ける。

着替えを終えたばかりのプーパーが縁側を見上げ一瞬絶句した。洗濯物を振っている奴と目が合い、彼は笑いをこらえる。こらえ過ぎて筋肉痛になりそうだ。

「……お兄さん。どこのお山のニンジン採りへ出かけるんだい？」

すらりとした身体に、白くすべすべした肌。卵形の甘いマスクに、トレンドの髪型。本格的な民族衣装とは完全にミスマッチだ。……が、なぜか、〝都会人〟と〝山の民〟との溝が前よりも縮まっているような気がした。

「あなたと同じお山だよ！」ティアンが手の中のたらいを投げつけそうな勢いで言い返した。

プーパーも似たような柄の織物衣装を身につけていた。違うのは、隊長の着ている方は首元を縮めたり広げたり調整できるところで、それは体型によく合っていた。ティアンはそれをじっくり眺め、妬ましさに唇を噛みたくなった。というのも、この軍人のようにがっしりとした長身の体型だったら、少数民族の戦士に見えなくもないからだ。ニンジン採りの山の子ではなく。

この世界はなんて不公平なんだ。

「洗濯物は干し終わったか？　今から村の人たちの手伝いに行くかい、それとも、ここで昼寝するか？」

隊長が大声で尋ねてくる。ティアンの澄んだ瞳に迷いが浮かぶ。

「手伝い、って、結婚式のことか？　あなたはどうするんだ？」

「私は朝からカマーとそう約束している」

ティアンは一瞬の沈黙の後、ちっぽけな小屋のがらんどうの部屋に目をやった。インターネットもないのに、一日中だらだら寝ているのは恐ろしく退屈そうだ。

「一緒に行ってもいい。ちょっと待ってて」

ティアンはそう言うと部屋に消え、食後の薬を忘れないうちに飲んでおいた。

森に接した広場では、集落の男たちが皆で竹を運んでいた。なたを使って切断したり、並べて筏《いかだ》の形に結びつけたりしている者もいる。カマーのビアンレーは手を挙げて新しい来訪者を招き入れた。二人の青年が自分の種族の民族衣装をいい感じに着ているのを見て、彼は大きく笑みを広げる。

「先生、着心地はどうですかな。その衣装は、息子が十五の頃に家内が縫ったものです。少々古いのじゃが」

ビアンレーが大変誇らしげなので、ティアンは無理に微笑み返した。……まさか、体のサイズが中坊程度だとナメられてるわけじゃないよな。

「ということは、息子さんは、今ではとっても大きくなられたんですね」

「プーパー隊長に迫るくらいですかな」

そう言いながら、ビアンレーは笑った。目に入れても痛くない息子の話ができて嬉しそうだった。チエンラーイ市内の大学に入ったばかりで、帰省するのは長期休暇の時だけだという。

「……子どもの頃は食費がさぞかし大変だったでしょうね」

ティアンは、まさに〝鬼軍人〟という頑強で巌のような大きな背中をちらりと見て、ぼやかずにいられない。今、その中隊長は、タイ語が通じる他の村人と別の隅で話をしている。

「わしらは今、輿《こし》を作っております。隣の山の集落にお嫁さんを迎えに行きますでな」

「輿……」

ティアンは頭の中の知識を総動員する。

「人が担いで運ぶ乗り物のことですか？」

「そうです。新郎も新婦も担がなければならんです」

「それじゃあ、すごくたくさんの人が要るじゃないですか」

「たくさんですな。前に四人、後ろに四人……歩くにも息が合っていなければ、輿がくるっとひっくり返る」

村長はおどけて言ったが、乗らされる新郎新婦は冗談じゃない。ルートは森や紅土《こうど》のでこぼこ道だし、重量は輿に加えて人間が二人、担ぎ手の負担は尋常でない。

ティアンは、分かった、というようにとりあえず頷いておいた。ビアンレーは、彼に竹棒の切り口のぎざぎざを削ぎ落とす仕事を手伝わせる。プーパーの方は、威勢よく台座を組んでいる他の人たちを手伝っていた。

三時間ほど経った。輿は徐々に形になってきている。彼らは轅《ながえ》を組んでいるところだった。太い竹棒を下に入れ、苧麻《ちょま》の紐で台座にしっかり縛りつけるのだ。

今回の担ぎ役を務める壮年の男たち八人が位置につき、輿の具合を試す。輿を持ち上げる掛け声と気合いの声が混じり合い、森じゅうに響く。誰かがよろめき、竹の輿がひっくり返りそうになることも度々だ。肩に重たい轅を食い込ませる彼らの顔は真っ赤で、見ている側も思わず飛び込んで助けたくなる。

「この輿ってのは、肩に担がなきゃならないのかな」

ティアンは独り言のように呟く。近くに立って指令を出していたビアンレーがそれを聞きとめ、笑いかけた。

「そんなことはないです、先生。敬意をもって新婦をお迎えし、新郎宅までわざわざ歩かずに済むようにして差し上げればいいわけですから。もっと町に近いアカ族の集落では、舗道があるので、ピックアップトラックを使っていますよ」

「それなら、持ち上げるのは腕の高さくらいでいいんじゃないか」

パンダーオの崖の村長は絶句した。都会の青年を振り返ってまじまじと見る。そうじゃ、このボランティア先生の専攻学部のことを忘れていた。

「先生はどのようにお考えですかな？　仰《おっしゃ》って下さい」

「えっ……」

いきなり意見を求められ、ティアンは驚きの声を上げる。照れ臭そうに自分の首の辺りを撫で回す。

「……いや、だめだな。使えないと思う」

「だが何も意見がないよりは良い」

低い声が割り込んできた。汗びっしょりのプーパーが近づいてくる。鋭い目が急かすように見つめてくるので、ティアンは慌てて脳内の知識を引っ張り出す。

「そう言われると緊張するじゃないか」

　名門大学の工学部学生は、困り顔になる。

「……中国映画の轎《きょう》ってやつを見たことあるか？　屋根付きだし、駕籠《かご》に人も乗せているけど、たった二人で担いでいるんだよな」

「私は知っているが、彼らはおそらく知らないだろうな」

　プーパーは笑みを浮かべながらアカ族の男たちの方へ顎をしゃくる。彼らは興味深そうに次々とこちらへ来て新人教師を取り囲む。言葉は分かったり分からなかったりするのだが。

　ティアンはぐるりと見回した。四方八方から期待の眼差しを浴びせかけられ、大きなため息をつく。彼はかがんでおが屑を集め、それで地面の上に箱型の乗り物の絵を描く。真ん中には前後に延びた長い棒。中国で昔使われていた駕籠だ。

「中国は寒い国だから、こんな風に全ての面に風除けを付けていた……」

　絵にするとアイディアが磨かれていく。

「……僕たちの場合は、ここまでしなくてもいい。ただ、台座からの箱型構造を作って、藁葺き屋根で日差しを防げばいい。壁は要らないな。その分、重量が軽減できる」

「それで、先生、その〝轎〟というやつは、どのように担ぐのですかな？」

　ビアンレーが尋ねた。そんな風変わりな名前と見かけの輿は見たことがない。が、熱心に理解しようと努める。そうしないと村人たちに正しく説明できない。

「まずは、轅と轅の間に入ることです。それから、両手に一本ずつ握ります。そして、身体に対して垂直に持ち上げます」

「手首で重さに耐えられるのかね？　先生が今仰ったやり方ですと、たった二人で持ち上げることになりますな」

ティアンは目を左右に動かしながら思考した。長いこと使っていなかった脳みそが敏捷《びんしょう》さを取り戻し始める。

「肩に轅を乗せる方が、荷重を軽減するにはいいと思います。対応する面積が大きいですから。ただ、問題は、運ぶものの重量が大きい場合、高く持ち上げるのは大変だということです」

彼は顎を二、三回こつこつと叩き、地面の絵におが屑を重ねた。

「屋根の上のところに轅を追加して、ちょうど肩の高さになるようにしたらどうでしょう。それから、上下の轅を紐で繋ぎ、丈夫にします。四人くらいで持ち上げてもいいでしょう。このようにすれば、肩と手の両方に力を振り分けられます。もしこの方法が成功したら、人数を半分に減らせますし、一列になって歩く時に、前と後ろの息が合わないという問題も少なくできます」

どっと溢れ出てきた言葉を聞き、タイ語の分かる皆が驚きの眼差しを向ける。が、この異様な静寂に、アイディアを出した本人はおずおずと顔を上向けた。

「あの……あまり良くないですよね。では元の輿を使いましょう」

「誰がそんなことを。良くないどころか、非常に素晴らしい！」

ビアンレーが興奮して飛びつくように細い肩をぴしゃぴしゃ叩く。くるりと振り返ると合図に手のひらを打ち鳴らし、輪になっている青年たちに向かってアカ族の言葉で長々と声を響かせた。

村人たちは大きな声でそれに応じる。これほど活気に満ちた光景は、ティアンが今まで見たこともないものだった。村人たちは元の輿から轅を取り外して使うことはせず、新しい竹を運んできて組み直した。

「……君は発明が好きなのか？」

腕組みをし、ずっと黙って聞いていたプーパーが訊く。

ティアンは、辺り一面の嵐のような変わりようを呆気に取られて眺めていたが、静かにプーパーの方を向いた。美しい瞳が揺れ動く。

「昔は好きだった」

「なぜ〝だった〟なんだ」

「〝だった〟は過去形だ。つまり現在、僕はもう好きじゃないってことだ」

ティアンは苛立ったように眉を上下させ、心の奥を隠そうとした。そして、プーパーがさらに何か尋ねてくる前に彼は村長の呼ぶ方へ逃げるように去っていった。

そうだ……子どもの頃、ティアンはよくおもちゃを壊した。特に、電池で動くおもちゃの車やロボットは、壊して部品を取り出し、新しく別のものを作るというのが好きだった。それを自慢したかったのだが、両親はいつも仕事が忙しく、話を聞いてなんかくれなかった。友達に見せびらかすと、相手は富豪の子どもたちばかりだったから、彼の発明品を〝ごみ屑〟と呼び、こぞって嘲笑《あざわら》った。

以来、ティアン・ソーパーディッサクン少年は学んだ。彼の属している社会で誰かに認められたり、称賛されたかったりしたら、誰よりもお金を持っているふりをしなければならない。外車に乗り、最新型の携帯電話を持ち、頭から爪先までブランドもので固めなければならない、と。物質主義の社会に惑わされると、人は、本当の自分を一切忘れてしまう。

「先生。台座の広さはどれくらいにしたらいいですかな？」

ビアンレーの声が新米教師を感傷から引き戻した。

「ええと……座るのは二人だけですよね。縦横とも二メートルもあれば十分です」

ビアンレーは笑みを広げて言った。

「わしらのところに巻尺はありません。また、ここの人は長さの単位を勉強したことがないのです」

「ああ……」

ティアンは今気づいたというように声を漏らした。彼は髪をかきむしりながら歩いていき、竹の棒切れの山から一番短いものを選び出した。目測一メートルのところを手で示し、斧を持っていた村人にその箇所を切断させる。

「この棒で測るよう言って下さい。大体の長さです。誤差はプラスマイナス十センチ以内だと思います」

ティアンはビアンレーにその棒の使い方を教え、言う。

「ビアンレーおじさんは何でもご存知なんですね。タイ語もお上手だ」

「わしは、国王様から恵まれない子どものための奨学金をもらいました。当時は、国境地域の貧しい子どもへの特別プロジェクトがありました。一村あたり一人、奨学金をもらえて、中等学校五年生まで卒業させてもらえました。今でいう高校三年生ですな。それから、県の政府機関で一時的に仕事させてもらいました。そしてこの通り故郷に戻り、骨を埋めようとしておるわけです」

ビアンレーは身の上を誇らしげに語った。先祖の土地を今日のように発展させられたのは、当時の国王陛下のご慈悲のおかげなのだ。

「僕は……全然知りませんでした」

国王陛下の公務については、夜のニュース番組で毎日報道されているが、それが貧困層にとってこんなにも恩恵深いものだとは、知らなかった。

考えてみても、不思議なことだと思う。彼のような都会の人は生まれた時から多くの資本と機会を持っているのに、国王陛下のお姿を拝見するのはテレビの中だけだ。一方、不毛の大地に生きる僻地の村人たちは、何も要求していないのに、国王様の方から苦を厭わずお出ましになっている。

「お時間があれば、パンダーオの崖の頂に立って、辺り一面を見渡してみてごらんなさい。目に映る豊かな森とたくさんの農園は、全て国王様のご計画によるものなのです」

「素晴らしいですね」

「幸運と言わねばなりません。この国に生まれたわしらは〝幸運〟です」

ティアンは大きく微笑んだ。ビアンレーおじさんと同じように誇りに思う。だが、口を広げ過ぎたらしく、頬の傷に響く。村長は彼が痛みに顔をしかめているのを見て、急に真剣になる。

「ちょうど先生とその話をしようと思っておりました。村人たちから搾取しようとする仲買人は、あのサックダーだけではありません。もしもこのようなことが再びあったら、先生は、わしかプーパー隊長に連絡して下さい。自分で事を起こさないで下さい。絶対に」

「後で報告したら、その前に村人は搾取されちまうじゃないか」

彼は理解できないというように眉を寄せた。

「それに、真面目な話、もし僕が報告したら、おじさんや隊長は奴らをどうするんだい？」

それは、卵と鶏のどちらが先かというより難しい問題だ。ビアンレーはしばらくの間じっと黙り込んでいたが、長い息をゆっくりと吐き出して言った。

「ティアン先生。この辺りの実力者については、説明が難しいのです。ただ、わしを信じて下さい。村人を助けようとした人は先生が最初ではありません。その人は約束を守ってくれたので、何も失わず山を下りることができました」

ビアンレーは細い肩を二、三度軽く叩き、念を押した。

「……わしが警告できるのはこれだけです。先生は賢いお方だ。理解して下さると思う」

ティアンはここでもプーパー隊長と同じ注意をされたことに少々腹立ちを覚え、口の中で舌打ちした。誰も彼も二言目には、賢い、だ。時には愚かになりたいこともあるのが分からないのだろうか。彼はうんざりして首を振ってから、駕籠をこしらえている村人たちの手伝いに入った。何が起ころうと、その時はその時だ。未来のことなど知ったことじゃない。


中国式の〝轎〟は、簡素化されて作られた。チーフエンジニア役の彼は、竹棒への紐の結び方に至るまであらゆる作業の管理をした。形になってきたところで、ティアンは大体同じくらいの背丈の四人に、担いでみるよう手ぶりで示した。

屋根の部分から前後に突き出している竿のような竹棒は、肩に掛けておく。担ぎ手は両手で下側の轅二本を持つ。発明品の見かけは奇妙だったが、前の輿よりもずっと安定感があり、重量の均衡が取りやすかった。工学部学生は顎を撫でてちょっと考え、駕籠を地面に置くよう手で示す。

彼は目分量で長さを決め、タイ語を少し聞き取れる人に指示した位置まで轅を鋸《のこぎり》で切り離させ、短くする。本当は長ければ長いほど担ぎ手の力を軽減できるのだが、ただ、そうすると歩きにくくなるのだ。

全てを終え、ティアンは最終確認を行う。駕籠の周りをぐるっと回り、触ってみたり、見下ろしたり見上げたりする。しばらくして、彼は見守っていた村人たちに向けて親指を立ててみせた。……完成だ。

この仕事に全力を注いでいた青年たちが、一斉に大きな歓声を上げる。手を叩いてボランティア教師に群がり、訛ったタイ語で盛大に礼を言う。取り囲まれて親しげに手を握られ、何とも言えない感動が込み上げる。

チーフエンジニアは、困ったようにはにかんだ笑顔を浮かべている。プーパー隊長は歩み寄ってその形の良い頭に手を置いた。

「よくできた」

相手は何も言わない。見下ろすと、目が赤く充血し、きらきらした滴が満ちている。プーパーの厚い唇は優しい微笑みの形に開いた。

「……全ての物事はそれ自体に価値がある。他人にその価値が見えなくても、自分に見えればいい。だから自分に嘘をつくな」

……時流に従って自分に嘘をつこうとしなくてもいい。

ずっと前から誰かに言ってほしかった言葉だった。高価な賞品は要らない。山のような褒め言葉も要らない。ただ、自分を認めてもらえたら、それでいい。

ティアンは鼻を啜り上げ、自分の頭を撫でていた大きな手を敢えて振り払い、気に入らないというように唇を突き出した。

「僕は子どもじゃないぞ」

プーパーは笑いたいのを押し込め、飲用に貯められた冷たい雨水をステンレスカップに汲んで手渡す。

「お水をどうぞ、大人さん」

からかわれて、ボランティア教師は目を見開く。そしてカップを奪い、ごくごくと飲み干した。

「お腹は減った？」

ティアンは即座に怒鳴り返す。

「腹が減って牛一頭でも食えそうだよ！」

昼は、野菜に唐辛子のディップを付けて食べただけだ。それで腹が持つかっていうんだ。

「まあ我慢しろ。ドクターの野郎が町に用事でな。有名店の家鴨《あひる》の煮込みを今夜持ってきてくれるそうだ」

隊長の口から第三者の名前を聞き、ティアンは顔を引きつらせて牙を剥いた。

「なんだ、鴨《かも》を連れてきて二人で食べるんじゃないのか」

もちろん相手は冗談が通じない。

「だから家鴨だと言っている。鴨ではない」

「分かってるって。耳は正常だ！」

プーパーは、眉をひそめる。若者の気性はさっぱり理解できない。

「で、何を怒っているんだ」

「腹が減ってるんだよ！」

そう言うと、ティアンは厚い肩を押し除け、遠くでこの唾飛ばし合い戦争を盗み見ていたビアンレーの方へ、大股で歩いていく。取り残された隊長はやれやれと首を横に振る。


もうすぐ六時だ。太陽が沈み、空に闇が訪れる。ワサン医師はパンダーオの崖の集落裏手に車を停め、歩いている。両手は料理の袋でいっぱいだ。いつものように丘を上る。到着すると、高床下の床机に座っていた鬼の体躯の親友を大声で呼び、荷物を持たせた。

「何をこんなに買ってきたんだ？」

プーパーはおかずの袋を覗き、運んでいって丼に入れる。

「ティアンくんを慰めようと思ってね。すごい格闘だったらしいじゃないか」

若き隊長は口の端で苦笑した。

「自分がブルース・リーか何かだと勘違いしたんじゃないか？　奴らが銃を撃ってこなかった

から良かったが」

　ワサン医師は皿を出してくる。買ってきた米飯を袋からそれぞれの皿に空け、長いため息をついた。

「事を起こしたというだけで問題だよ。どうやらもう長くはいられないな」

　この辺りのエリアが軍の保護下にあるとはいえ、闇の影響力は介入している。僻地の村人たちの無教養をいいことに、利益を追求する輩《やから》は多い。森林の豊かさの度合いが高いということもある。それで任務遂行も容易ではない。一日に十キロもの坂道を巡回し、違法な樹木伐採を防止しているのだ。

　ワサン医師とプーパー隊長がこの基地に配属されたばかりの頃は、戦々恐々たる事態が日常茶飯事だった。伐採で森を破壊する輩との衝突、麻薬を運搬する輩との摩擦。が、数年でこれらは減少した。この中隊長は本気だと見られ、奴らは他の場所へ拠点を移したのかもしれない。

　だが、全員が去ったわけではない……。

「長くいないなら、その方がいい」

　プーパーはさらっと返した。が、言葉は重い。軍医は目を上げた。にやりとして訊く。

「本気で言ってるのか？」

「本気だ」だが、目は合わせてこない。

　白い顔の眼鏡の医師は、相手の体を支えにして背伸びし、上から見下ろす格好で言う。

「オレが何も知らないと思うなよ、プー。あの最初の日、慌てて彼を迎えに飛び出して以来、べったりだな。昨夜に至っては、それが増長してここに泊まりさえした。たとえ神仏の前でも、その口から出た言葉は信じられないな」

……この人でなしと親友になったことを、こんなに後悔したことはなかった。何年も同じ軍営にいた。自分が転属すると奴もついて来た。だから奴には、はらわたの皺《しわ》の数まで知られてしまっている。

「お前にも知らないことが一つくらいあってくれると可愛いんだが」

プーパーは、腹立ち紛れに盛ったばかりの家鴨の煮込みの皿をどんと置く。

「ああ。分からんことなら一つあるさ。お前が彼に至れり尽くせりの世話を焼いているのは、つまるところ、一目惚れなのか、それとも、マフィアの命令か？」

プーパーは絶句した。困惑した視線が床机の上の様々なおかずの上を彷徨《さまよ》う。

「……それなら、それをお前の知らないことの第一号にしよう」

「なんだよ、秘密にしやがって！」

ワサン医師は罵り、それから再度脅しをかける。

「覚えておけ。お前の相手にオレが告げ口するかもしれないからな、虎に食われんよう気をつけろ、と」

「……おっかないな」

プーパーは意に介さぬ様子で言う。ワサン医師は気に食わず、威嚇する顔つきになる。

「安心して油断するなよ。あっちがどう思ってるかは分からないんだからな」

今度はプーパーが黙った。別の方を向いて飲料水のボトルを並べ始める。話は終わりだ。親友が無駄話をやめたので、ドクターは上に行き、泥のように眠っていたボランティア教師に下りて夕食をとるように言う。プーパーはあの詮索好きの姿が見えなくなってから、床机の上にどっと座り込んだ。


……〝期待〟などしていないのだから。

〝思い〟が何なのかなど考える必要もないのだ。


ティアンは小屋の梯子段を超特急で駆け下りた。空っぽの胃が、轟くようにわめいている。目の前の料理に、彼は大喜びで目を見開いた。ああ、お馴染みの食べ物だ。醤油味の煮込みに、焼き豚、さくさくに揚げた豚バラ肉、海老ワンタンの揚げ物……。恩人の方を向き、顔いっぱいに大きな笑みを広げる。

「ドクター、本当にありがとう。僕の好物ばかりだ」

「おう、そうか。いっぱい食えよ。そうしないと、ここの人々は飯も食わせなかったと苦情が来ちまうからな」

ワサン医師は手を伸ばし、頭を撫でて可愛がろうとしかけたが、殺意に満ちた視線に睨まれてやめる。

「美味いものを食うことなら任せてよ。お安い御用だ」

ティアンはぺちゃんこの腹を叩き、保証した。

「おかずが冷めちゃってて悪いな。昼間から買っておいたんだけど、戻ってきたらもう夜だ」

ティアンも床机を囲み、軍医は飯を大盛りにした皿を寄越してやる。

「冷えたご飯は、ここに来てからもう慣れちゃったよ。慣れてみれば、意外とそれも悪くないし……思えば、食べるものがないよりはずっといいし」

ティアンは思ったことを何気なく口にしながら、家鴨肉の大きな塊を掬い、口に入れる。プーパーとワサンは、スプーンを持ったまま目を合わせている。考えていることは同じらしい。

……このバンコクの大学生の中で、何かが変わりつつある。

二人にじっと見つめられ、ティアンは顔を上げる。なんだか異常に静かだ。

「何してるんだ？　食わないのか？　僕に全部さらわれたって知らないよ」

と言うなり、タレをかけた豚バラ肉をごっそりさらい、自分の皿に載せ、美味そうにフォークを刺す。

「おい、医者。胃薬は持ってきてるだろうな」

プーパー隊長は適当なことを言ってみた。

「いや。誰かどうかしたのか」

「今は、まだだ。が、先は分からん。この辺のがつがつした奴が腹を壊して、のたうつかもしれないからな」

それを聞き、ティアンはキッと鬼軍人を睨む。反撃として床机の上の全てのおかずを次々掬い、相手の皿にてんこ盛りにしてやる。

「さあ召し上がれ。そうすりゃ、その暇な口が忙しくなるからな、隊長」

「おお、なんて気の利く子だ。プー、お前の母さんに頼んで嫁にもらいに行ってもらえよ」

ワサン医師が親友に向かって楽しげに言う。

「オレの母親は十歳の時に死んだ……もしお前が父親のことも訊いてきたらな、今夜、親父に線香をあげて頼んでやる。お前の首を折りに来て下さい、とな」

プーパーは指で自分の首を切るふりをして脅した。

「分かった、分かった。オレの負けだ」

ワサン医師はすぐさま白旗を揚げ、今度はボランティア教師に話しかける。

「今夜は集落の男たちが喜び勇んで面白いぞ、ティアンくん」

「なぜですか？　結婚式は明日なのに」

ワサン医師は、ふふっと笑った。全く油断ならない感じだ。

「アカ族の昔からの習慣でな。結婚する青年は、まず、体の一部に洗礼を受けなければならない。どうするかというと、サコフと一緒に寝るんだ。サコフとは、集落の中で選ばれた、夫を亡くした女性だ。その女性が体を張って、新郎に愛を教えてやるんだ」

「はあ……」

そんな妙ちくりんな儀式、聞かされた方は口をあんぐり開けるしかない。

「あるいは、こういう考え方の原型かもしれないですね。つまり、新郎は、独身生活に別れを告げる前に心置きなくたっぷり女遊びをしておくという」

そういう話ならいくらでもある。

「そこは知らないけれど」

単に、男の身勝手が習慣化しただけかもしれない。ワサン医師はティアンの説には特に関心なさそうに肩をすくめ、飯を口に入れて咀嚼《そしゃく》する。

「ドクターはさっき、集落の男たちが喜ぶと言っていましたよね。それはどうしてですか？　だって新郎一人だけの儀式じゃないですか」

ワサン医師は含みのある笑みを浮かべ、目を狐のように細めた。体を伸ばしてきて白い耳の中へ囁く。

「……今夜、集落を歩いてごらん。松明《たいまつ》やランタンを持った人たちがいたら、ついて行くといい」

「おい、医者！　早く食っちまえ。基地に戻るぞ」

プーパーが声を大きくし、ワサン医師がもっとすごい秘密を教えてくれる前に遮ってしまった。

ティアンにはいまいち理解ができなかったので、適当に聞き流してしまい、特に気に留めなかった。目の前の好物に手を伸ばして腹へ収めていく。

皿や丼をきれいに洗って片付けると、ティアンは前回同様二人の客を見送った。隊長はオートバイで来ているので、親友の車には乗らない。帰る前、まだ安全な状況ではないから夜中に外をぶらぶら出歩いたりするな、と念を押すことも忘れなかった。

ティアンはおざなりに肯き、手を振って隊長を帰した。戻って湯を沸かし、小屋の裏で水に混ぜて浴びる。水浴び後の裸体で歯を食いしばりながら寒風を切り、小屋に駆け上がって服を着る。その時、あるものに目が止まる。

たらい……村長に返すのをすっかり忘れていた。


パンダーオの崖の集落で一番大きな家の前。お気に入りのジャケットに、生乾きのパジャマの長ズボンという姿の青年が寒さに震えながら、家にいるはずの家主を大声で呼んでいる。梯子段の上の扉がゆっくり開き、カマーのビアンレーおじさんがランタンを手に出てくる。

「おや、先生。こんな遅くにどうなさいました？」

「たらいを返し忘れまして。明日の朝、奥様が困られるといけないので」

アカ族の主婦たちは夜明けと共に渓流で洗濯をするのが習いなのだ。

「おお……。そんなに急いで下さらなくてよかったのに。うちには何個もあります。それは先生が使っていて下さい」

「あ、そうでしたか」

ティアンは照れ隠しに自分の首筋を撫でた。回れ右をして帰ろうとすると、村長が今思いついたかのように彼を呼び返した。

「ちょうどいいところじゃった。お入りなさい。わしらから、差し上げるものがあります」

〝わしら〟？　ティアンは疑問に思って眉を寄せたが、素直に梯子段を上り、家に上がった。

たらいを小脇に抱え、茣蓙を敷いた板間で待つ。彼は左右を見回してアカ族の生活を観察した。

なるほど、ビアンレーおじさんが町で学校に行ったり働いていたりしたのは本当だと頷ける。

そこには現代的な物が溢れていた。書棚まである。美しい目が一枚の金枠の額縁に止まった。

国王陛下が僻地の民を慰問された際の写真だった。ポスターとして刷られたその写真は鮮明で、国王様の汗の粒まで見えるほどだった。我々のためにどれほど尽くして下さっているのかが分かる。

ティアンはふと、教室の棚の上に置いてある国王写真の壁掛けカレンダーを思い出した。釘が外れたので、置きっぱなしになっているのだった。月曜、ビアンレーおじさんに金槌を借りて釘を打ち直そう。子どもたちが国王様のお顔を拝めれば勉強の励みになるかもしれない、と彼は考えた。

「先生、お待たせしてすみません」

ビアンレーが妻を伴い、部屋から出てきた。妻は手にアカ族の衣装を一山持っている。

「家内がちょうど最後の一枚を直し終えたところでしてな」

「どうして、そんなにたくさん？」ティアンはよく理解できずに訊いた。

ビアンレーおじさんは嬉しそうに大きく微笑み、妻の手から織物の衣装を受け取り、ボランティア教師の前に置いた。

「これらは男ものですが、わしらの集落で一番美しい模様の衣装です。しまってあった古いものもありますが、家内がすっかり縫い直しました。今日、先生がわしらの衣装をお召しになっているのを村人たちが見ましてな、その上、花嫁を迎える駕籠まで作って下さった。皆、大変喜んでおります。それでお返しをしたくなりました」

ティアンは絶句した。瞳に熱いものを感じる。

「村の方たちは、僕が同じ衣装を着ていたのを喜んで下さったんですか？」

「この辺りでも町の人と同じ洋服を着たがる人は多くおるです。格好いいですからな。しかし、わしらの伝統衣装を着たがる町の人というのは何人おるか……」

ビアンレーは、豊かな色彩の模様が刺繍された衣装の山の上に手を置いた。

「もし先生がお嫌でなければ、これらの衣装はお受け取り下さい」

「僕は……」

ティアンは泣きそうになるのを押しとどめた。ここに来て、まだほんの僅かの日々を過ごしただけだが、忘れ去られていた自分の価値が不思議と浮かび上がってくるような気がする。

「どうして嫌なことがありましょう」

ティアンは身をかがめてその衣装の山をまるで高価な貴重品であるかのように抱き上げた。それから、微笑みかけてくれているビアンレーの妻へ向き直った。

「えー、クーロン……フー……マテ……です、おばさん」

彼はアカ族の言葉でとぎれとぎれに〝ありがとう〟と言った。今日の午後、集落の若者たちに教わったばかりだった。二人の年配者は笑い声を立てた。

「ティージェーマーゲ、アークー」

妻の返事を聞き、ビアンレーが訳して聞かせる。

「どういたしまして、先生」

ティアンはもらった衣装をたらいに入れ、家主に別れを告げた。たらいを抱えて梯子段を下り、懐中電灯で集落の中央を行くでこぼこ道を照らした。今日は月がなく、満天のきらめく星々の輝きが見えた。夜の気温は下がっていて、息を吐くとそれが白くなった。

首都の青年は、タイ国内でこれほどの寒さに接したことが一度もなかった。鼻先から垂れてきそうな鼻水を手でこする。その時、目の端が何か普通でないものを捉えた。ちらちらした灯火に、ひたひたと歩む一団の黒い人影。木造家屋の家並の裏辺りだ。

両陣営の目が合った。ぼやぼやした一団の人影が進み出てくる。その手にはハリケーンランタン。暗闇の中でようやくうっすらと顔が見えてくる……。ああ、なんだ、集落の若者たちじゃないか。昼間、一緒に駕籠を作ったばかりだ。今頃のこのこ何をしてるんだ？　不思議に思っていると、彼らがぱたぱたと手招きしているのに気づく。

ティアンは左右を見回し、自分を指さす。……僕を呼んでいるのか？　集団の影が一斉にばらばらと頷く。さらに手で早く早くと急かす。彼は何かを考える暇もなくそちらへ急いだ。

ボランティア教師が集団に交じったのを見て、彼らは嬉しそうな笑い声を上げ、細い肩をぽんと叩く。彼らから酒の匂いがした。夕方から飲んで、すっかり酔っ払っているのだろう。ティアンは片手に懐中電灯、もう片手にたらいを持ったまま、意味も分からず他の人たちに続く。が、ドクター・ナームが夕方言っていたことを思い出し、こんな夜中にランタンを持った集団が歩いていることについては腑に落ちた。

なんだかわくわくしてくる。まるでこっそり悪さをしている子どもみたいだ。延々と裾野近くまで連れ立って歩み進むと、大きな樹の裏にぽつんと一軒の小屋が見えた。

「なんでこんなところに？」

ティアンは疑問を口に出す。大きな声ではなかったが、辺りが静まり返っているのではっきり響き、青年たちが一斉に振り向いて指を口に立てる。静かに、という合図だ。皆、息が合っている。

新米ボランティア教師はジェスチャーに従って口をつぐみ、村人たちに続いて小屋に忍び寄る。先駆け部隊が伸び上がって竹の壁を偵察し、覗き穴を見つける。そして即座に仲間を呼び集めた。

室内のランタンの灯は、動く人影がようやく見えるくらいの明るさだ。苦しげに呻くような声と話し声が入り混じりながら聞こえてくる。そして、覗き穴に顔を近づけた村人たちときたら、何とも嬉しそうな笑いをこらえているのだ。中で何が行われているか、彼にも大体、想像できた。

アカ族の男たちは都会の青年が一人離れて立っているのを見て、親切にも彼の体を引っ張った。そして、他人の寝間の営みを覗く穴の近くに寄らせた。

女のぽってりと豊かな二つの盛り上がりが目にいきなり飛び込んできて、心の準備も間に合わず声を上げてしまいそうになる。

「ひぃぃー!」

が、それが声として外に漏れるより先に、数多《あまた》の手が伸びてきて彼の口をぴったり塞ぐ。

身動きできない状態になったティアンは、酔って嬉しそうな村人たちと一緒にそのままライブ映像を鑑賞する他なく、最悪にきまりが悪い。彼を取り囲むぎらぎらした男たちの荒い息づかいが聞こえる一方、小屋の中の出来事は針穴に糸を通す段階に進んでいる。踵《きびす》を返して逃げたい気持ちになったが、彼の目はそれに反してしっかり固まり、動かない。

どこの酔っ払いが、こんないやらしいことを考えついたんだ！

「楽しんだか？」

……この上なく聞き覚えのある低い響きの声。それはほんの小さな声で、しかもタイ語だったのだが、タイ語を聞き取れる者もそうでない者もひっくるめ、全員を驚かせた。彼らはさっと離れ、蜘蛛の子を散らすように逃げ去った。

悲しいかな。たらいのせいでティアンは速く走れず、太い腕に掴みとられてしまう。外気は凍る寒さなのに、きめ細かな額には透明な汗がわっと噴き出す。彼は乾いた笑い声を立て、恐る恐る大男の方を振り向いた。今や、世にも恐ろしい形相の暁の寺院の鬼に成り果てている。

「……基地に帰ったんじゃなかったのか？」

「虫の知らせだ。君が何かろくでもないことをしていそうな気がして、水浴びの後にバイクで戻ってみたのだ。家にいないから、この儀式に直行してみたら、……案の定だ」

プーパーは最後の一言を強調した。お前は手のひらの上で転がされているだけだぞ、と言いたいわけだ。

「そんなに僕に密着してくれなくてもいいですよ」

ティアンは懸命に何かを我慢しているような顔で、ごまかすように笑う。挙動不審だ。

「帰るぞ！」

隊長はやんちゃ坊主の腕を強く引き、歩かせる。細い腕が肩から外れそうになる。

「おい！　もうちょっと優しく……」

ティアンは殊更に痛がって呻いてみせ、同情を買おうとする。が、無意味だった。鉄のペンチみたいに剛健な手は、さらに腕を強くつねってくる。

プーパーは細い体を、近くに停めてあった自分のオートバイまで引きずっていく。それで宿舎へ送るつもりなのだ。が、途中で、プーパーは相手の歩き方がおかしいことに気づく。いつものようにすたすた歩いていない。彼は立ち止まり、後ろを振り返る。視線を上から下へゆっくり滑らせ、身体の真ん中辺りが突き出しているのを見て、意地の悪い笑みを広げる。

「おい！　何見てやがる」

ティアンはわめき、慌ててジャケットの裾を引き下ろして大事な部分を隠した。見られたのが恥ずかしく、すべすべした頬がぽっと染まる。

「穴から覗いて、どこまで見えたのかな」

「知らん」

彼は突き放そうとするが、プーパーはわざと顔を低くして覗き込むふりをする。

「手伝ってやろうか」

高い鼻が耳元に寄り添ってきて、低く響く声が小さく囁く。

「男同士だ。恥ずかしがることはない」

毛穴という毛穴の毛が総立ちになった。ティアンはぎゅっと目を瞑《つむ》り、殺されそうな水牛のごとく、山じゅうに響き渡る叫び声を上げる。

「あなたみたいな男以上の男は嫌だ！　危険極まりない！」

細い手で剛健な筋肉に向けて、たらいを思い切りぶつける。やられた方は痛みに体をねじ曲げる。プーパーは目を上げる。いたずら坊主は蹴りつけるように歩いていき、近くに停めてあった小型のオートバイに跨った。

「早く！　寒いんだから」

ティアンが怒鳴る。顔がチェスの馬みたいに歪んでいる。

プーパーは長いため息をつき、首を横に振る。あんな風に言われるとは、さては、あの口の軽い医者野郎から何か聞いたな、と考え、今から基地に戻るから、覚えておけ！　と心の中でワサン医師を罵る。

〝期待〟なんかしたこともなかったのに、それが今よりももっとずっと遠くへ流れ去ってしまったらと思うと、恐くてならない。

アカ族の結婚式は古い伝統に則ったもので、全てはおよそ三日にわたって行われる。初日は、花嫁を迎えに行き、花婿の集落へ迎え入れなければならない。それから、〝イエモー〟という集落の人々に崇拝される長老が、花嫁をもらい受ける儀式を行う。これは、花婿の身体を洗い清め、花嫁の魂を呼び入れるために家の屋根を叩くというものだ。

二日目、花嫁は主婦の役になり、煮炊きをして集落の古老たちに感謝の食事を振る舞う。最終日になると、花嫁は森から赤バナナかゴマの木を切ってきて、茎を炙り、招待客に食べさせる。客は宴会の間、植物油に鍋炭を混ぜたものを塗りたくり合う。花婿と花嫁にも塗る。これから共同生活をする上での忍耐力を試すためなのだそうだ。

ティアンはごくごくと水を立ち飲みしている。行列に加わるよう誘われ、隣の集落まで花嫁を迎えに行ってきたのだ。森の中の曲がりくねった道は、上りあり、下りありで、駕籠を担いでいない彼でさえ座り込んでしまいたくなるような道程だった。他の青年たちは楽しげに喋ったり笑ったりしていたのだが。

今日、ボランティア教師は村人たちの皆がくれた民族衣装を身につけている。さらにビアンレーおじさんは、朝から帽子まで持って来てくれた。額に巻くバンダナのようなもので、美しい色の房飾りが付いている。よくよく見なければ、誰が町の人で誰が村の人か区別がつかないくらい溶け込んでいた。

今朝の行列の監視役に来た軍人はプーパー隊長ではなかったが、ティアンのよく知っている斥候《せっこう》だった。学校の巡回は何人もが交代で来ているのだ。あの鬼軍人がなぜ来ないのか不思議には思ったが、彼は特に尋ねもしなかった。

ティアンは体の筋を伸ばし、凝りをほぐしてから、講堂へ向かった。今、新郎新婦は次の儀式を行っている。鶏卵を互いに三回ずつ渡し合うというものだ。ティアンが不思議そうな顔をしていたので、ビアンレーが疑問に答える。

「古代の占いですよ、先生。もし卵が床に落ちたら、子どもに恵まれず、福が訪れません」

首都の青年は混乱しつつも頷いておく。

午後から夕方までは宴だった。客は集落の広場で歌ったり踊ったりしている。飼育している鶏の一部が茹でられ、新郎新婦の最初の食事として提供された。周りの人々はもち米を指で丸め、唐辛子のディップを付けたりなどしているが、ティアンがコミュニケーションをとれるのは村長一人だけだ。次第に飽きてきた。こっそり抜け出し、文化広場一帯を散策する。

音楽のリズムに乗って女の子と子どもたちが踊りながら出てきた。可愛いことは可愛いが、それよりも彼の興味を惹いたのは、前の方から聞こえてくる野太い男たちの声だった。集落の男たちが老いも若きも入り混じって輪になって立ち、何かゲームに興じているのだった。

「アークー（先生）！」

誰かが近くへ歩み寄ってきたボランティア教師を呼んだ。

「何してるんだい？」

タイ語は聞き取れなくても、言いたいことは大体分かるだろう。新参者は顔を突き出し、輪の真ん中でぐるぐる回っているものを興味深そうに見ている。

「チョン……」

彼らは必死に説明しようとする。

「……コマ。回す。コマ」

ティアンはちょっとの間その言葉を整理する。「独楽《こま》のこと？」

彼らは各々うんうんと頷き合う。大きく微笑み、やってみないかと誘ってくる。チョン、つまりアカ族の独楽は、これまで見たことのある独楽とは少し違った形をしていた。普通は真ん中に鉄や他の金属の長く尖った軸があるが、ここの人たちの独楽は堅木を削って先を尖らせているのだった。それで、独楽の大きさは一般に流通しているものより嵩が張っていた。巻きつける糸は、片端を木の棒に括りつけた藁や苧麻だった。

ティアンはラジコンカーの時代に生まれ、その上、お坊ちゃま学校で育った。お菓子のおまけに付いてくるプラスチック独楽やゴム跳びなんかで遊んだことはない。

誰かが気を利かせ、その伝統的な玩具を手のひらに押し込んでくれた。ティアンはそれを眺め、途方に暮れる。周囲からアカ族の言葉で何かわいわい言われるが、彼には聞き取れない。棒を引いたり戻したりするジェスチャーをしているから、引けと言っているのだろう。

思い切って藁の先の棒切れを引き、せん断応力を発生させる。だが、木の独楽は二、三回地面を回ったかと思うと静止してしまい、村人たちのように美しく回せない。

周囲で大笑いが起こる。初めての独楽回しだが、ティアンは恥をかいてむっとした表情になる。怒りを拳に握り締めると、魂がふつふつと煮えたぎる。彼は独楽を渡してくれた男の元へつかつかと歩み寄り、やり方を今すぐ教えろ、とジェスチャーで脅迫した。

　アカ族の青年が、独楽の投げ方を実演してみせる。普通よく見るやり方では、紐の片端を独楽の軸に巻きつけて固定してから、独楽本体の底面にぐるぐると巻いていき、紐のもう片端は自分の指に巻いておく。が、この山岳民族のやり方は、指ではなく、細く削った竹軸に紐の端を巻きつけるのだった。そのようにして、通常より大型で重い独楽にかかる遠心力を高め、強く回るようにする。

　投げ方は、ティアンがアメリカのサマースクールで体験したベースボールのそれに似ていた。自分がピッチャーで、手の中にあるのがボールではなく独楽だという違いだけなのだと思えば、恐れることもない気がしてきた。木切れの端を振り、遠くへ放る彼のフォームも完璧になり、教えている男は目を見張る。

　重い独楽がカーブを描き、遠く十メートルは向こうへ着地する。それは猛スピードで自転するが、すぐに停まってしまう。

　ティアンは手首を振り、違うフォームで幾度も試してみるが、なかなか他の人たちのように長く回せない。それで一旦休み、自分の使っている独楽に村人のものと違うところがないか観察する。腕組みをしてしばらく眺め、眉をひそめた。独楽の本当の持ち主の方を振り返り、使っている藁しべの紐を指さす。

　ボランティア教師が何を言いたいのかは通じたようだった。青年は乾いた笑みを浮かべ、ジェスチャーで「ない」を示す。さすが工学部学生、問題が何だったのかもう理解した。その藁紐が滑るのだ。苧麻の紐のような粘性や表面付着力を実現するにはどうすればいいか。

ティアンは左右を見回しながら長考する。物の表面を粗くしたい時はサンドペーパーで研磨するが、紐の滑らかさを減らしたければ、おそらく、砂をまぶさねばなるまい。ティアンは捨てばちの論理で長い藁紐を地面に踏みつけ、こねくり回して滑らかさを低減させた。そして独楽に同じやり方で巻きつける。

首都の青年、遠く放って再試行する……。独楽は弧を描き、着地する。そして高速で自転を始める。その様子を、周りに立つアカ族たちも唖然として見つめている。ティアンは拳を握り、腕をぐいと体に引きつけて、イエス！　と叫ぶ。試験は大成功だ。そして気合いを入れ、勇敢にも再び大集団に挑んでいった。

夕方。地域の人々をしかと警護していた軍人たちも新郎新婦の祝福に赴き始めた。プーパー隊長は迷彩柄のズボンに、膝まであるブーツという姿だ。上半身は緑がかったカーキ色の丸首シャツに軍の防寒ジャケットを羽織っている。パトロールから戻ったばかりのようだった。

ワサン医師も大差なく、半分仕事、半分カジュアルという格好だ。カマーのビアンレーの方へ歩み寄り、昨日買ってきたばかりのビールと高級酒を差し出し、心付けとする。

「ありがとうございます、ドクター」

パンダーオの崖の村長は、軍人たちを招き寄せ、長い床机での食事の輪に加わるよう勧める。

プーパーが周囲を見回して何やら探しているようなので、村長はこっそり笑みを漏らした。

「ティアン先生をお探しですかな？　あちらですよ……」

ビアンレーは向こうに集まっている老若の男たちを指さした。

「何やってるんだ？」

若き隊長は眺めやるが、群衆が押し合うように立っているので何も見えない。

「先生は独楽の競技に挑戦中ですよ」

鋭い目が細くなる。

「おじさん、酔っ払いましたか？　あいつは独楽なんて、見たことがあるかどうかすら怪しい」

「おや、なんと！」

ビアンレーは手のひらで自分の額をぴしゃりと叩いた。

「信じられないのでしたら、お連れしますよ」と言うなり、大男を連れて群衆の輪に分け入る。

すると、今まさに、青年が片足を上げ、独楽の紐に付いている木切れをプロ野球選手のごとく投じたところだった。プーパーはびっくりして声も出ない。

大きな声援が響き渡り、耳鳴りがしそうなほどだ。だが、プーパーの瞳は一点に釘付けになっている。透き通った肌に自然な赤みを帯びた頬。それは都会の社会の枠を出た、飾りものではない本物の血肉の自然な色だった……。

いたずらっ子のお坊ちゃんが振り向いてプーパーを見た。手を腰に当て、顎を上げてみせる。また勝ったぜ、と自慢しているのだ。プーパーは口の端で苦笑し、やれやれと思いながら愛しさもこめて首を横に振る。ティアンにはここでの生活を目一杯学んでいってほしいと彼は願う。この時が終わりを告げる前に。

……そして、別れてきたもう一つの〝世界〟へ戻ってしまう前に。

「最初は、ティアン先生が契約通りの期日までいられるとは思ってもおりませんでした。が、こう見ておりますと、考えを改めねばならんようですな」

プーパーは声のする方を見た。このボランティア教師の社会的ステイタスが只者ではないことくらい、仕草や服装から、彼にも見抜けたのだ。海千山千のカマー、ビアンレーにどうして見抜けないはずがあるだろう。

「私も考えを変えなければならないようです」

プーパーは静かに答えた。

だが、心の中にはまるで重りが一つ置かれていて、日を追うごとに重くなっていくような気もしているのだ。

そして、その〝時〟が来たなら、私は耐えられるのだろうか……。

09　秘密

朝から何かを打ちつける音がしていた。だが、学校周辺を警備している二人の斥候《せっこう》は、少しもうるさいとは思わなかった。それは、中にいる人がとてもふさわしい行為をしているからかもしれなかった。

……国王陛下の御影を高い場所に掲げるという行為を。

ティアンは号数の小さな釘を選んで使った。暑さと寒さに何年も耐えてきた竹材が割れてしまわないようにするためだ。彼は金槌で釘の頭を軽く叩き、半分程度の長さを埋め込んだ。そして埃を少し被ったアート紙のカレンダーを書棚の上から取り、きれいにはたいた。

彼は国王のカレンダーを丁寧に掛けると、後ろに退き、ゆっくりと出来栄えを眺めた。淡いブラウンの瞳が何か思案しているかのように前方の印刷物に注がれる。……写真の中の国王陛下は、僻地で行幸を待ち続けていた数多《あまた》の年寄りたちの合掌を受けている。つまり、このタイ国においては、いかなる場所であれ、常に偉大な王様の目が注がれているということだ。

ボランティア教師になったのは、ひそかな目的があったからだった。彼は深く息を吸う。自分の不誠実さに、罪の意識を覚え始めていた。自分の目的は誰のためでもなく、自分自身のためだけだということに。

「あたしの父さんの服だ」

ティアンはいつもの女の子の声で振り返った。ミージューは頬を赤らめて大きく微笑み、彼が今日着ているアカ族の織物衣装の裾を掴んできた。

「お父さんに、ありがとうと言ってくれ」

「母さんが父さんに頼んだの。これは母さんが作った」

ミージューはきゃっきゃと笑った。何日か前の家庭内戦争のことを先生に話す。ミージューの父親のお気に入りの服が滅多に日の目を見ないので、母親が新しいボランティア先生にあげようと言い出したのだ。村人たちを助けてくれたお礼に、と。

「じゃあ、ごめんなさい、だ」

ティアンは笑みを返し、それから思い出して言う。

「今日は、アーイは学校に来る？」

「今、来ます。父さんは、痛いのが治りました。母さんは、学校に行きなさいと言いました。そうすれば、誰にも騙されません」

ティアンはミージューの素直な言葉を聞き、頷いた。今後は村の人々が実際に役立てられる物事を教えようと決めている。このような僻地に入試のための予備校は要らない。必要なのは、生活のための学校なのだ。

　国旗掲揚の後、小さな生徒たちは、一斉に、竹製の一つしかない教室に入っていく。見ると、先週より子どもが増えたようだ。ティアンは黒板にチョークで簡単な重量の比較表を書く。タイ人がよく使う重さの単位だ。それから、秤の絵を描き、その中に小さく目盛を付け、数字を書いて教える。

　半日教えてから、彼は子どもたちがどれくらい理解したかを確認した。ティアンは指先で前に書いた針を拭い去り、新しく書き直してから質問する。

「さて、針がこの目盛を指していたら、何と言いますか？」

　アカ族の生徒たちは数字を見て、先生が教えた通りに指を出してみせる。

「八キートは……八百グラムです！」

「では、もし、誰かがこれは五百グラムだと言ったら、何グラム損をしますか？」

「三百グラムです」

　ティアンは指導の成果が満足できるものだったことが嬉しく、笑みを浮かべる。

「では、ここまでにしましょう。お昼休みです」と言うと、子どもたちが歓喜の声を上げ、それぞれ昼の弁当を取り出す。それらはバナナの葉に包まれ、バナナの茎繊維で作った紐を使って縛られている。彼らは食事する場所を探しに外へ出て行った。

　ティアンも朝からビアンレーおじさんの家のピントーを持参している。卵焼きと、茹で野菜に唐辛子のディップなど、簡単なおかず類だ。今となっては、たとえすっかり冷め切った食事でも腹が減っていれば美味いと思うようになった。彼は教室前の板敷きのところで食べながら、国旗の翻る校庭を目一杯走り回る生徒たちを眺めた。

子守唄のような風を浴び、うとうとしかけたところに、山の子たちの間にちょっとした騒ぎが起こった。ティアンはその大声で飛び起き、慌てて立ち上がった。子どもたちは、何やら天空に漂う物体を追いかけていた。ティアンも一緒になって走る。

大騒ぎする子どもたちの歓声は、アカ族の言葉とタイ語がばらばらに交じっていたが、ティアンには大体理解できた。彼らは「おっきな鳥！」と叫んでいるのだ。

ティアンは、日光が目に入らないよう手で遮りながら、上方を見上げた。この学校は高い崖の上にあるので、雲間を行き交うものがはっきり見える。

「あれは、飛行機、という」

彼は笑い声を上げた。子どもたちは腕を飛行機の翼のように広げ、旋回しながら飛ぶ真似をしていて楽しそうだ。彼も大声で子どもたちと競い合った。

疲れるまで走り回り、午後、新人教師は折り紙を教えることにした。飛行機を折って飛ばし、競争するのだ。ここの子どもたちが都会の子どもに劣るなんてことは全くなく、飛ばし始めてしばらくすると、子どもたちはそれぞれ紙飛行機の改造を始めた。自分の飛行機が友達のより遠くまで飛ぶよう、翼の先を曲げてみたり、前面のくちばしを折ってみたりする。

ただ、残念なことに、崖の上は風がとても強く、紙飛行機を飛ばしてもなかなか風力に勝てない。風に吹かれ、どれも方向を狂わされて墜落してしまう。

飛行機を飛ばすより拾いに走る時間の方が長く、子どもたちも楽しくなくなってくる。仕方なく先生も彼らを呼び集め、授業を続けることにした。

ティアンは簡単な英語を教えていたが、小さな生徒たちがずっとしょんぼりした顔をしているのに気づき、尋ねる。

「そんなに飛行機が楽しかった？」

アカ族の子どもたちが顔を見合わせ、結局、アーイが答えた。

「……空を飛びたいです」

「パイロットになるには勉強しなくちゃいけないよ。とっても難しいんだ」

ティアンは言う。が、無邪気な瞳で見つめ返してくる小さな子たちは、どうやらこんな難しい言葉は分からないらしい。彼は困って唇を曲げた。真っすぐに期待され、プレッシャーを感じる。

「……じゃあ、こうしよう。自分で飛行機を動かすのは無理だけど、僕らでも動かして空に飛ばせる方法はあるよ」

「どうやるんですか、クレヨン兄さん」

ティアンは大きく微笑んだ。意地悪するように目を細める。

「教えない。明日になったら、答えを言ってあげる」

四方八方から抗議の叫び声が上がるが、先生は教えてやらない。

今日は授業を早めに切り上げ、急いでカマーのビアンレーおじさんの家を訪ねた。高床下の床机《しょうぎ》に腰掛けてしばらく待つと、ティアンの会いたかった人が農園の仕事から帰ってきた。村長は麦わら帽子を脱ぎ、脚に叩きつけて埃を払ってから、客に挨拶をした。ティアンは慌てふためいて立ち上がり、近寄る。

「相談があります。どうすれば今すぐ町に行けますか」

「徒歩で大通りまで出て、乗合バスを待たなければなりませんな。ですが、町に下りた頃には夕方です。何が欲しいのですか?」

「インターネットです」

だが、年配の人には理解できなかったようなので急いで言い方を変える。

「つまり、ある機器を使って、子どもたちのために情報を探したいんです。明日なんです。子どもたちに〝凧〟の作り方を教えると約束してしまったので」

「凧? 何を考えているのやら」

「子どもたちが飛行機を見て、すごく楽しそうだったんです。それで、何か飛べるものを作らせてあげたくて」

ビアンレーはしばらく考え込む様子をし、口を開いた。

「……なら、まずわしの方から基地に無線を入れてみよう」

「なぜあちらに知らせなければならないんですか。僕は囚人じゃありません。それなのに、どこにも行ってはいけないというんですか」

ティアンが噛みつくように言ってくるので、村長は笑い声を立てた。

「囚人ではないですが、プーパー隊長の管轄下の人なのじゃよ。おまけに、サックダー氏との事もあったばかりです。くれぐれも用心しなければなりません」

後半は理解できる。が、前半は何だ。彼はむくれる。僕がいつからあの鬼軍人の傘下に入ったというんだ？

ボランティア教師は、ビアンレーの家に上がって待つ羽目になった。が、村長が長いアンテナの付いた四角い箱のような機器を持ってきたので目を丸くする。肩に掛けるためのベルトまで付いている。

「それは、軍用の携帯無線機じゃありませんか」

集落をパトロール中の兵隊が、背に担いでいたのを見たことがあったのだ。

「そうです。しばらく使うようにと基地の方から持ってきて下さったのです。緊急事態があった時、すぐ連絡できるように」

「僕のことも、その緊急事態には含まれるんですかね？」

ビアンレーは息子のような歳の人間に生意気な口を利かれても気にせず、にこにこしている。

「先生のことは、隊長お一人には緊急でしょう」

そう言われ、ティアンは誰かにいきなりスイッチを切られたみたいに押し黙ってしまった。おとなしく待つことにしたらしい。

ティアンは、年配の村長が携帯無線機を慣れた手つきで起動するのをちらりと見やった。おそらく徴兵で二、三年、兵役に就いていたのだろう。ビアンレーはダイアルを回し、設定されていた周波数に合わせ、携帯無線機に向かって声を注ぎ込んだ。

「雨一へ、こちら星三。どうぞ」

スピーカーから無線の雑音が流れた後、間もなく人の声が応じる。

「星三へ、こちら雨一。どうぞ」

「星三、鷹へ連絡。ティアン先生が今から町に下りたい」

「雨一、了解。鷹へ連絡する。返事を待て……」

そこで無線が切れた。ビアンレーはくるりと後ろを向き、びっくりする。床に座り込んでいたティアンが目を輝かせて通信機器に見入っていたからだ。

「無線機がお好きなのですか、先生?」

「はい。素晴らしいと思います。一度、分解して中を見てみたいものです」

この土地にしばらく住んでみて、彼は発明品を愛する自分が再びよみがえってきていることを感じていた。

「分解ですか。できますよ。ただ、この機械はだめです。わしもまだ監獄の中で先生にお目にかかりたくはないですからな」

ビアンレーは冗談めかして答える。その時、無線機に再び声が入ってきた。

「……星三へ。こちら鷹。応答せよ。どうぞ」

低く響く声はあまり鮮明ではなかったが、誰だか分かる。

「星三。了解。どうぞ」

「鷹、使命あり。鳩を派遣する。以上」

ティアンは後頭部をかく。暗号だらけでくらくらする。

「僕の推測ですが、鷹はプーパー隊長ですね。鳩というのは誰ですか？」

「ワサン医師じゃよ」

ティアンは頷く。が、心の中では、かき回した泥水みたいにもやもやした思いが蠢《うごめ》いた。何でもかんでも必ずドクター・ナームに連絡するんだな。友達以上ならそれで構わないが、こっちに分からないようにやってくれ。そうでないと僕は……。

僕は、どうするというんだ？

ティアンは考えるのをやめ、自分の顔をごしごしこすって混乱を収めようとした。が、燻《くすぶ》った苛立ちまで静めることはできそうになかった。

ワサン医師が小さなあばら家の外で呼んでいる。実はドクターは、自ら立候補してボランティア教師を町に連れていく役を引き受けたのだった。ティアンは電源を切りっぱなしの携帯電話と充電ケーブルを、急いでリュックに詰め込んだ。あと、メモ帳とボールペンも。そして外へ飛び出してきた。

「準備できました。行きましょう」

首都の青年が、民族衣装に最新型のリュックで梯子段を下りてくるのを見て、ワサン医師は遠慮のない笑い声を上げた。

「その格好で行くんだね？」

そう言われてティアンは自分の格好を見下ろすが、何を気にするかと肩をすくめる。

「ああ、これで行く。アート系だ」

本当は慌てていただけなのだが。町に着いてみて材料屋がどこも閉まっていたら困る。

「僕もいいと思うよ。可愛い」

ドクターは可笑《おか》しいのをこらえ、細い肩を叩いて歩みを急がせた。丘を下り、軍のジープを停めてある幹線道路まで出る。

この谷の黄昏《たそがれ》時の景観は大変美しかった。寒季の初めの冷たい風とあいまって、まるで外国にいるかのような雰囲気だ。だが、今、車の中で、ティアンは景色を観賞するどころでは全くなかった。ほっそりした手がシートを破かんばかりの勢いで掴んでいる。カーブにはガードレールもなく、少しでもハンドルを切り損ねたら間違いなく墓場行きなのだ。

ティアンは額に滲む透明な汗を手で拭う。彼自身、〝国道のレーサー〟の異名をとっていたのだが、この殺人的スピードでいえばドクター・ナームは比較にならない。

「ド、ドクター。もうちょっとゆっくりでもいいです」

「は？　だって君が急ぐんでしょ」と言うなりクラッチを踏みつけ、機敏にギアチェンジをする。

急ハンドルを切り、前方のピックアップトラックを僅かの距離で追い越した。横に乗っている人は生唾を呑み込む。

「町に急いでるんです。死に急いではいません！」

「僕はいい護符を持ってるんだよね。不死身は保証する」

ワサン医師は隣を見て機嫌良くウィンクする。毒薬を飲まされたような顔のもう一人とは大違いだ。……冗談じゃない、本気で怖いんだって！

側面に堂々と軍のマークが刻印されたジープは、二時間以上かかる道を一時間半強で疾走し、無事、チエンラーイ市内に到着した。ティアンは長い息を吐き、こっそり胸を撫で下ろす。わざわざ奇跡を使って蘇生したので、まだ地獄へ行くつもりはないのだ。

「まず、市場の辺りへ行こうな。ネットカフェなら選りどりみどりだ」

大きな交差点で信号待ちをしながら、ドクターが言った。

「いいですよ……ドクター・ナームは何か用事がありますか？」

ワサン医師は先読みしたように軽く睨んでくる。

「さては僕に秘密を知られたくないんだな」

「秘密なんてちっともありません」

……嘘ではない。〝ちょっと〟はないが、〝たくさん〟はあるというだけだ。

ドクターは口を尖らせる。

「あるだろう。秘密……」

そして向き直って美しい切れ長の目を見つめる。本気らしい。

「……心臓の秘密」

ティアンは一瞬固まる。が、脳内で素早く計算し、心をずたずたに傷つけられた演技をして、顔を歪めてみせる。

「心の秘密だなんて、軍隊ってのはメロドラマまで習うんですか……隊長だってそうだ」

ぽろっと漏れた最後の一言は、ティアンはほんの小さな声で言っただけなのだが、相手にははっきり聞こえてしまった。

「ははん？　タイ王国軍プーパー隊長に何を囁《ささや》かれたんだ？　言っておくがな、あの人は今まで誰にもメロドラマみたいな言葉を使ったことはないぞ」

ワサン医師は笑い話にしているようだったが、ティアンには少しも可笑しくない。

「ドクター、それはどういう意味ですか？」

低い声はひどく真剣味を帯びていた。そこでワサン医師はふざけるのをやめる。彼は賢い。していいことと悪いことの区別は弁《わきま》えている。二人のことは二人だけのことだ。部外者は関係がない。そして口の重い親友が、相手に気持ちを知られたくないと思っているなら、自分は、そのことは口にするべきでない。

「何でもないさ。ただの冗談だ」

ティアンは余計なことを言うのはやめ、静かに車の外の景色を眺めた。何分もそうしていてから、ようやく口を開く。

「思っていたのだけれど、ドクターと隊長は、その……」

彼はしどろもどろになる。

「……恋人、同士なのかと」

大型ジープががくんと揺れた。急ブレーキをかけたのだ。中にいた人は前のめりになる。後続車の罵倒のクラクションで軍医は平静を取り戻し、慌ててギアを入れ、アクセルを踏んだ。

「おい、真面目に言ってるのか？」

ワサンは動揺しながらようやく尋ねた。

首都の青年はアカ族の衣装で俯いている。そしてもごもごと答える。

「それは……真面目に」

「それなら、僕は真面目に答えるべきなんだな?」

「できれば、その方が」

彼の声はもう消え入りそうだ。

軍医は背を真っすぐ伸ばし、息を吐き出してから言う。

「僕には恋人がいる。来年、結婚する」

「女性の恋人?」

「当たり前だ。それに美人だぞ。バンコクの小児科病院で医者をやってる」

「……ということは、隊長は失恋か」

ワサンは車じゅう響く大声で笑いたかった。が、こらえた。

「同情するか?」

淡いブラウンの瞳が上向いたが、それがもう一つの目にぶつかると、咎められるのを恐れるような性急さで逸れていった。

「いや、僕はただ……ただ……」

本当は大声で叫び出したかった。違う! だが、言葉は喉の奥に詰まってしまう。

「さて」

医者は話を打ち切った。

「まだ考えがまとまらないなら、今は考えるな。ただもう一度言うが、僕とプーは腹の中まで知り合っている親友だが、そういう腹の中では絶対ないぞ。雷が落ちて死んでも、だ」と、下品な冗談はまだぶつけてきたのだが。その後、ジープの中はしんとしたまま道を進み、人でごみごみした町中の路肩に停まった。

ワサン医師はキーを回し、エンジンを切る。隣に座っているティアンに呼びかけるが、放心したように外を眺めていて、何を考えているのか分からない。

「ティアン……」

その名前の主が振り向く。たった今、白昼夢から醒めたばかりのように虚ろな顔だ。

「はい？」

「プーみたいな体のでかい男は嫌いか？」

ティアンは少しだけ沈黙する。そして言葉を整理してから言う。

「嫌い……どういう意味で」

「僕とプーパー大尉がどうこうと、自分が考えていたような意味でな」

軍医は笑みを広げた。知り合って以来、一番信用できそうな表情だった。ティアンはきまりが悪くなる。

「知り合いとしては、嫌いじゃありません。でも、そうでない他の立場では、僕は……僕は分かりません」

それが今、最も正しい答えだろうと思われた。ティアンは車から降りようとして体を動かす。

そして、外へ踏み出す直前、振り返らずに口に出した。

「ドクター・ナーム。こんな話を始めてすみませんでした。忘れて下さい」

こんな話を始めるべきではなかった……。それからすぐ、ティアンは車から飛び降りた。細い指が髪を何度もかき上げている。千々に乱れる心の証左だ。

ワサン医師も急いで車を飛び降り、大きな声で言った。

「一時間後に、車で待ち合わせな。欲しい材料の店に連れて行ってやるから」

細い身体はすたすたと歩み去り、何も答えなかったが、これだけの距離なのだから間違いなく聞こえているだろう。

ちょっと刺激し過ぎたか……。軍医はこめかみを揉んだ。他人の色恋沙汰に関わった脳が痛む。親友の軍人は、誰が考えるよりずっと節度を守る男だ。奴自身、自分の性向もよく知っているのだろう。そのことでプーパーは亡くなった両親に対して、罪の意識を背負っている。それで都会の刺激的な光の渦から遠ざかることを選び、生涯独身と決めて国境へやって来た。

が、それが正しいとは限らない。そうワサン医師は思う。なんだかんだ言っても、天はこの森にプーパーの好みの柔らかな白い小鹿を寄越してきたのだ。愚かな虎みたいに遠くに潜伏して眺めているだけで、体じゅうから唾液を流し尽くすつもりだというのか。もしティアンが何も感じていなくても、ただ痛みを感じるだけで何かを失うわけでもない。だが、もし感じているならば……心が通う日が早く来るというだけじゃないか。

　ブルジョア青年は人目も気にせず、とぼとぼと歩いている。そして、長屋の一画にインターネットサービスのあるゲームセンターを見つけ、真っすぐ店に入る。入口のところにカウンターがあった。パソコンのディスプレイの陰に若者が座っていたが、客が入って来たのを見て立ち上がる。そして客の着衣をじろじろと見た。ジャングルから抜け出てきたみたいだな。何も考えず、口にしてしまう。

「お兄さん、どこのお山から来られたんすか」

　小さな声ではなかった。店内にいた男女が揃って口を押さえながらくすくすと笑った。

　ティアンは初めて知った。社会的地位の低い人間が他人に見下される気持ちは、こういうものだったのか。以前だったら、仲間でも呼んで店に火を点けさせただろう。そして口止め料だと言って、相手の頭を紙幣でいたぶっただろう。だが、今は、そんな行為が何の役にも立たないとしか思えなかった。ただの金の無駄だ。

　薄い唇がにやりと笑う。ティアンはカウンターに身を乗り出し、その店番に顔を寄せた。

「てめえの親父と同じ山だ。このクズが。口を慎め」

　出てきた言葉はひどく熱いのに、低い声は凍るように冷たく、相手はおろおろした。

「お、お兄さん……ご用は何でしょうか」

「ネットを借りたい」

ティアンは得意の悪党を演じ、脅す。

「あと、ケータイの充電もだ」

「どうぞどうぞ、どちらでもお座りになって下さい。コンセントはパソコンデスクの下にあるっす」

若者は慌てて媚びへつらった。保身に走るタイプだ。

「ありがとな、クソガキ」

山岳民族の殻を被った都会の男は、店に並んだパソコンデスクの方へ向き直る。様子をこっそり窺っていた人々の視線にぶつかり、大声で脅してやる。

「何見てやがる！　ストリップじゃねえ！」

たったそれだけで、辺りは墓場のように静まり返った。ティアンはひそかにほくそ笑み、自分の用事をする場所を探した。

エセ山岳民族はデスク下に頭を潜らせ、携帯電話の充電ケーブルをコンセントに差し込む。数分としないうちに高級携帯電話は起動した。自分の居場所を知っている友人の電話番号を押す。待ちながらキーボードを叩き、凧作りの情報を検索する。

長い呼び出し音の後、相手が出た。

「おお、ティアン！」

ティアンは、携帯電話を自分の耳から離して、怒鳴る。

「おい、トゥン。大声出すな。鼓膜が破れるじゃねえか」

「なんだよ、お前、二週間も消えやがって。連絡つかねえし、とっくにミャンマーの山奥に埋められてるかと思ったぜ」

……ここに来てまだ二週間だったのか。なぜか、とてつもなく長い時間だったような気がしていた。

「山にケータイの電波はない。たった今、町に下りたんだよ」

ティアンは答える。

「マジで聞くがな、ボランティアの先公とやらが気に入ったか？　お前なんか三日で逃げ帰ってくると思ってたんだが」

トゥンの野郎の言うことは正しい。実際には初日の夜から荷物をまとめて帰ろうとしたほどだ。だが、歯を食いしばっているうちに、こう思うようになった。集落の人たちの親切さと天秤にかければ、実際はこれも特にひどく不便というほどでもないのだ、と。

「オレはオレで適当にやるさ」

面倒くさいので流しておく。

「お前に電話したのは、家のことでな。なんか臭うんだよ。ほんの数時間遊んだだけで、執拗に電話で追い回すような家だぜ？　が、二週間も音信不通なわけだ。あんな置き手紙一つで、うちの親たちが理解するというのはあり得ねえ」

「で、お前は、お前の父さんみたいなご威光の塊が捜索して、見つからないはずがねえというんだな？」

知恵者の共謀者である友人が訊き返す。

「見つかるね……それが臭うと言ってるんだ。追手が来ない」

「それならよ、こういうことだ。お前の父親は、わざと、お前をそこに泳がせている」

電話の相手は奇妙に自信ありげだ。

「……親父側の人間が、お前のところへ行ったのか？」

「おい！　違うって」

声が急に裏返る。ティアンは怪しんで眉をひそめた。

「本当だな」

確認すると、相手は間髪を入れずにわめいてくる。

「何を気にしてるんだよ。誰も追っかけて来なかった、お前の思う壺じゃねえか。他に何が欲しいんだ」

「何も欲しくはない。じゃあな……情報検索しないと」

通話終了ボタンを押そうとしたその時、友人の声がさえぎった。

「何の情報だ？　手伝ってやってもいいぜ。今、激暇なんだ」

それを聞き、ティアンは喉の奥で笑った。

「山岳民族の子どもに凧揚げを教えるんだ。手伝うか？」

「マスターベーション……。てめえ最低だ！」

「おう。オレは最低だ。子どもにチュラー凧（タイの星形凧）、蛇凧と取り揃えて揚げさせて、天国まで昇らせてやろうというんだからな」

そう言うと、トゥンは〝凧揚げ〟の意味を誤解したまま、稲妻のごとく罵声を浴びせかけてきて、逃げるように電話を切った。

少しは憂さ晴らしができ、ティアンはにんまりする。マウスを動かし、目を凝らして作り方と必要な材料の情報を調べる。使えそうなことは持ってきたメモ帳に写した。

約束の時間が迫り、ティアンは荷物を片付けて店頭のカウンターに行き、インターネット代を払った。例の店番の若者は無料にしてくれそうな勢いだった。急いで車を停めた場所へ戻ると、ワサン医師はすでに立って待っていた。


教師は、凧の試作に没頭していた。材料はドクター・ナームが金を出して買ってくれたものだ。ウェブサイトから書き写した簡単な方法でやる。主な材料は、凧の紙、ラテックス接着剤、そして苧麻《ちょま》の紐。凧の本体は、家の周りの枝切れでまかなう。細く削ってとりあえず骨組みを作った。本当は竹の方が軽くていいのだが。

半徹夜で試作品を作り、ようやく満足した。それから即、床に就き、朝日がすっかり昇るまで眠った。寝坊したので、洗顔と歯磨き、それに恐ろしく冷たい水で体を撫でるような水浴びだけし、光速で着替える。材料一揃いを抱え、学校へ一直線だ。

着いた時には、生徒たちはすでに国旗掲揚を終え、全員きちんと着席していた。ティアンは鬼の体躯の軍人がいるのに気づき、足を止める。緑がかったカーキ色の丸首シャツに迷彩柄のズボンで、二人の斥候を伴い、竹棒を運んで校舎の前に積み上げているところだった。

プーパー隊長が顔を上げると、ティアンの放心したような目にぶつかる。

「なんだ、その目は。竹ひごが要るんじゃないのか？　削るのを手伝ってやる」

「別に何も言ってませんよ」

ティアンは固い口調で答え、材料一式を叩きつけるように置いた。昨日の話が脳裏を過《よぎ》り、妙に気恥ずかしい。プーパー隊長とドクター・ナームが愛し合っているわけではないからといって、隊長が自分のことを恋人とかそういう対象として見ているとは限らない。ティアンはそこに立っている人のことを気にしないように肩をすくめ、小さな教室に入って行った。

プーパーは、いつものように言い返してはこない相手の背中を見送った。昨夜、ドクターの野郎が町から帰ってきた時に、にやついていたので、探りを入れたのだが、何も言わなかった。あいつ、また何か良からぬことを喋ったんじゃないだろうな。

若き隊長はやれやれと首を振った。それから斥候たちを連れて隅の方へ行き、なたを使って黙って竹棒を切断した。

竹を細く削りながら、プーパーは、やんちゃなお坊ちゃんが子どもたちを教えるのに耳を傾けた。先生の低い声に可愛らしい声が混じり、子どもたちは先を争うように先生の質問に答えていた。それをひそかに聞きながら、彼は愛おしく思う気持ちを抑えることができなかった。

「嘘みたいであります」

魂呼びの日から今日まで新人ボランティア教師を見てきた斥候が言った。

「ティアン先生がこの場所に暮らせるとは思いもしませんでした」

プーパーは眉を上げる。「で、今は？」

「これからも長くおられると自分は思います」

中隊長は一瞬黙り、薄く苦笑した。

「彼がここにいたいと思っても、それは無理だ。彼の将来はまだ長い。このような辺境に埋もれているべきではない」

「そうですね。まだとてもお若い」

「そうだ……まだ大学も卒業していないのだ」

プーパーは繰り返した。自分に言い聞かせるために。

「残念ですね。子どもたちもここの人たちも、彼のことが気に入っているのに」

プーパーは先は続けず、俯いて鋭利なスイスアーミーナイフを使い、竹ひごのぎざぎざしたところを滑らかに削り取っていった。昼休み、彼はティアンの分も考えて、ピントーを持ってきていた。簡単なおかずだ。昨夕の残りの煮玉子、にんにくで炒めた豚肉。食事の輪に入ったティアンは、取り分け用のスプーンでその黒く乾いた煮玉子を掬い、顔をしかめる。

「本当に食えるんだろうな。絵具で染めたみたいだ」

「ははっ。先生は何もご存知ない。ここでは、こういうのを美味いというんです。非常に味わい深い」

斥候が笑った。

「信じることにするからな」

朝から何も腹に入れておらず、空腹だったので、たとえ皿の中身が玉子のベンジンオイル漬けであっても喉に押し込みたいくらいだった。ティアンは飯を口に入れ咀嚼《そしゃく》する。以前のように行儀にいちいち気を配らなくていいのはなんとも幸せだ。

「君は凧を作ったことがあったのか?」

プーパーが疑わしそうに訊き、美しい切れ長の目に睨まれる。

「僕はずっとインター校だったんですよ。凧の紙がどうなってるのかだって、知ったばかりですよ」

ティアンは正直に答え、瓶からがぶりと水を飲んで昼食を終えた。

太く濃い眉が寄る。

「それでどうやって子どもらに教えるのか?」

「別に難しくないです。昨日の夜、作ってみましたから。同じ形のを教えるだけです」

「で、揚げ方は？」

隊長は焦る。暗雲が徐々に立ち込めてくるようだ。

「ユーチューブで見ました。走っていけば、そのうち風で勝手に浮かぶんじゃないですか」

そうきたか。きりきり痛む頭を両手で抱えたくなる。

「要は、君は生まれてこの方、凧揚げをしたことがないのだな」

「ない」

薄い唇が小憎らしい薄笑いを浮かべる。

「……が、室内でやる方なら、よくやる」

プーパーはティアンの言葉に顔を引きつらせた。そして横で胡座《あぐら》をかいている細い奴に体ごと詰め寄る。

「上出来だ。なら、一戦交えるか？」

ティアンは言葉の意味を意訳し、滑らかな白い頬をぽっと染め、即座に飛び退いて距離を取った。下半身談義に羞恥を覚えたわけではない。彫りの深い顔が寄ってきたことで心が揺さぶられたのだ。

「ぼ、僕は、準備に行ってきます！」

背を向け、脱兎のように逃げ出す。背中から、豪胆な軍人三人のからかうような笑いの渦が心に突き刺さってくる。

時計の針が一時を指した。午後の始業時刻ぴったりにアカ族の子どもたちは駆け戻ってきて席につく。今日は何をして遊ぶか、先生が種明かしをしてくれることになっているからだ。ティアンはこの地域特有の模様の入った手織綿の衣服という姿で後ろを向き、黒板に何かを描いている。最初に出てきた図は、十字に交差した直線。それから端を繋いでいく。

ティアンは、くるりと子どもたちの方を向いて微笑みかけた。「私たちは〝凧〟を作ります」

「凧って、何ですか？」子どもたちが大きな声で尋ねた。

「うん、空に浮かぶものだよ……」

先生はうまく答えられない。

「作ってみた方が早い。作れば分かるから」

ティアンはそれだけ言って皆を集め、車座にした。自分は真ん中に座り、簡単な作り方を説明する。

細く削って三十センチほどの長さにした竹ひごを二本持ってきて、十字にクロスさせる。山の子たちが全員同じようにできるのを待ち、それからプーパー隊長が苧麻の紐を切って配り、皆で竹ひごのクロスしている部分を解けないようきつく縛っていく。そして、子どもたちが構造の四辺に糸をぴんと張るのを手伝った。これが凧の枠となる。

ボランティア教師は色とりどりの紙束を持ってきて、簡単な凧本体を作っていく。紙は大体の大きさに測ってあり、あとは周りを鋏で切り離す。アシスタントはラテックス接着剤の瓶を渡し、しゃがんで糊付けを手伝う。子どもたちの目は今や興奮できらきらと輝いている。

「糊は薄く付けて下さいね」ティアンが大声で言いながら、手本を示した。

「なぜ？」

「ビデオで言ってました。ビデオでは線香を使って付けてました。たぶん、凧の重量に関係するんだと思います。こういう糊にも重さがありますから。風力で空に浮かぶんですから、軽さを最大限に実現しないとなりません。重ね塗りなどしたら、重くなるだけでなく、乾くのも遅くなり、こういった凧の紙はぶよぶよになってしまいます」

プーパーは内心そっと微笑んだ。得意分野を話す時、こいつは人が変わったようになる。生意気な態度が消えて、瞳に自信が溢れている。

「では、飛行機は恐ろしく重いが、どうして飛べるのだ？」

「……飛行機は翼で全重量を支えます。翼は特別な設計になっているんです。上側は曲線を描き、風が当たった時にそれが迅速に翼の後方へ流れるようになっています。ですが、下側は風の通りが遅くなりますから、空気圧が高くなり、翼に揚力が生じるんです。ただ、その揚力を発生させるには、まず推力がなければなりません。前方への推力が速くなればなるほど、翼に流れる空気も速くなります。それに伴って、揚力も高くなります。飛行機の推力はエンジンです。凧の場合は、紐です。我々は走って紐を引きます。それで揚がるというわけです」

ティアンは眉を寄せる。専門用語は易しく直そうとするのだが、どうやらさらに分かりにくくなっているような気がする。が、そこで相手にちらりと目をやった瞬間、彼の神経はぶち切れる。

「ちょっと、騙したんですか！　聞いてなかったでしょう」

長々と説明してやったのに、相手はにこにこ微笑んでいるだけだ。目まできらめかせている。その目ん玉、えぐり出して弾き飛ばしておはじきにしてやろうか、くそ！

「騙してなどいない」

プーパーは咳払いした。すぐ怒るお坊ちゃんにだらけた笑顔を見られ、格好がつかない気分だ。

「君が話すのを見ていた。幸せでいい」

幸せ、ってどういう……？　僕が話していると僕が幸せに見えるということか、それとも、僕が話すのを見て自分が幸せだということか？　ティアンは下を向き、凧の枠に合わせて紙を折りながら、故意に口をぴったりつぐんだ。

色とりどりの凧が全てできあがった。あとの工程は飾りだけだ。先生は、子どもたちが紙を切ったり太めの油性ペンで自分の凧を装飾したり自由にするのに任せた。最後に、苧麻の紐を真ん中の軸の上下に結び、短く切っておいた竹筒を軸にして紐を巻きつける。

子どもたちが好き好きに凧の飾りつけをしている間、ティアンも自分の凧を作る。とはいえ、工学部学生の凧は子どもたちのよりちょっと難しいものだ。

骨組みは同じく竹ひごをクロス。だが、横に置く竹ひご、すなわち翼になる方が縦軸より少し長く、細い。クロスした部分を固定する前に、翼となる竹ひごの両端にそれぞれ紐を付けておく。十字の形を固定したら、翼となる竹ひごを下方に曲げ、最初に付けておいた紐を縦軸の末端に向かってぴんと張り、結ぶ。翼は両側とも同様に作る。

「フグ凧じゃないか」プーパーが発明家先生の横に来て集中を妨げる。

「骨組みだけで分かるのか？　えらいえらい」

ティアンは褒めているのか貶《けな》しているのか、よく分からないことを言う。

「私は田舎の人間だ。こういうもので子どもの頃から遊んでいた。自分で作ってみたことはないがな」

プーパーが言う。骨組みにする竹ひごも持ってきた。

ティアンは明るい色の紙を選び、骨を覆ってから、黄色い紙を細く切り、両翼の先に房を付ける。マニュアルによると、側面に重みを付けた方がフグ凧はバランスが良くなり、方向を操りやすくなるそうだ。彼は大男の方を振り返る。どこへ行ったのかと思えば、隊長も凧を作り終えていた。

骨を覆う紙は白を選んでいる。簡素で、堅苦しくて、作った本人にふさわしい。

その時、ティアンはいいことを思いついた。彼は左右を素早く見る。都合は良さそうだ。薄い唇に悪党めいた笑みが浮かぶ。その辺に散らかっていた赤の油性ペンをさっと掴み、プーパーの爪にいたずら描きする。

まずは丸みを帯びた顔の輪郭。それに怖そうな目、ほくそ笑むように開いた口を追加する。それから長い牙。ティアンは伸び上がってその絵を眺め、狙い通りだ、と笑いを噛み殺した。口の脇にぎざぎざの線も重ねる。簡単な冠だ。これで誰が見ても何の絵か分かる。

どう見ても暁の寺の鬼だ。彼は目を細めてほくそ笑む。

「上手いじゃないか」横から聞き慣れた低い声がした。

「美術のことは聞くな。僕は成績はずっとAだったんだ……うわっ」

ティアンはうっかり自慢げに答えてしまい、飛び退いてじりじりと遠くへ逃げる。

背後では、隊長が腕組みをして立っている。そのしかめ面の恐ろしさは、爪に描かれた暁の寺の鬼も敵わない。

「いい度胸だな。人のものに落書きとは」

「あなたはアーティスト・スピリットというものを知らないね？　芸術に国境はない。壁アートがあるなら、爪アートがあってもいい」

「無茶苦茶だ」

舌がこんがらがりそうな勢いで弁明する被告人に、プーパーは首を横に振った。そして外を指さす。

「もう行くぞ。子どもたちが並んでいる。パンダーオの崖上広場に連れて行ってやろう」

「オーケー」

ティアンは慌てて頷き、自分の色鮮やかなフグ凧を引っ掴んで外に出た。

プーパーはわざとしかつめらしい顔をし、成績Aの美術作品が描かれた凧を掴み上げる。鬼の牙がわざとらしく長くはっきり描かれているのを見て、喉の奥で思わず小さく笑ってしまう。

こんな悪さをして、捕まえたら尻叩きの刑にしてやろうか、それとも、〝口〟で引っぱたいてやろうか。


ボランティア教師と生徒の子どもたち、そしてさらに軍人三人の行列は学校を出発し、二キロほど歩いてパンダーオの崖上広場に着いた。集落と同じ名前が付いている。この場所は広々と開けていて、地面は所々に草むらがあった。周囲の谷より高い場所にあるので、風は一層強く吹いていた。

日差しはまだ灼けつくように暑いのに、風が冷たく都会の青年は体を震わせた。一方の小さな生徒たちは元気に楽しんでいる。このような寒冷気候には慣れているのだ。斥候たちは乾いた木の葉を拾っては高く放って風向きを確かめ、隊長に報告した。

プーパーは、ボランティア教師の方へ戻ってきて言う。

「向かい凧の方向に走るんだ。そうすると凧が風をはらむ」

そしてふと言い止め、低く呟いた。

「待てよ……君は揚げたことがないのだったな」

「だから、ユーチューブで見ましたって。凧を投げ上げて、走るんでしょう。楽勝だ」

聞いている方は頭を抱えたくなる。他人に教えるくせに、自分は一度も実際にやったことがないときた。大丈夫か？

「では、私が説明しよう。君は子どもたちと一緒に聞きなさい」

プーパーは子どもたちにペアを作るよう、大きな声で言った。一人が紐の先を持ち、もう一人が凧を持つのだ。合図が聞こえたら、凧を持った人は凧を上へ放る。紐の先を持った人は向かい風に走る。

走りながら、凧に抵抗を感じてきたら、ゆっくりと紐を緩め、凧が上空の風を掴むまで長く伸ばす。それから、紐を引っ張り、凧が風に任せて自然に浮かぶ高さにする。

言うのは簡単だ。が、実際にやってみると、全然できやしない。山の子たちは走っては転んだり起き上がったり、転がったり這いつくばったり、凧を地面に引きずりながら奮闘してはいるのだが、とうとう壊れてしまうのも出てきた。ティアンはこの状況に頭をぽりぽりかく。どうやら、考えていたより難しいらしい。

「初めてやってうまくできる人はいない。しばらく試行錯誤すれば、自然とできるようになる」

プーパーが言う。せっかく生徒たちを連れてきたボランティア教師を、慰めているようだった。自分も一度もやったことがないくせに、凧で遊ばせてあげようとしているのだ。

「じゃあ、あなたが僕の凧を持ってくれるかい？　走る時に何かタイミングがあるはずだ」

工学部学生は真剣だ。ティアンは色鮮やかなフグ凧をプーパーに渡す。自分は苧麻の紐を巻いた竹筒を持っている。

二人の青年は適当な位置に離れて立つ。プーパーがカウントする。

「……一、二、三、走れ！」

合図と共に彼は凧を空へ送る。ティアンは走り出し、手の中の紐が張りつめ始めているのを感じる。その時、中隊長の大声が聞こえる。

「紐を緩めろ……そうだ。もういい。もっと速く走れ！」

ティアンは足を速めながら、後方を返り見る。自分の凧が風をはらみ始めている。だが、低空を浮いているだけで安定性はない。彼は疲れ始めてきた。心臓は一般人のように丈夫ではないのだから。走りを緩めると、鮮やかな凧はゆっくりと降下してくる。

「ティアン！　腕を高く上げろ。紐を引っ張っておけ。落とすなよ。上空の風に乗りかけている」

新人教師は歯を食いしばり、さらに走る。そして、教えてもらった通り、細い腕を高く上げ、手の中で苧麻の紐をぐいぐいと引っ張る。すると、色鮮やかなフグ凧は上空へ浮かび、とうとう陽光の中を漂った。

額と背中いっぱいに透明な汗が流れ伝い、シャツはびしょ濡れだ。だが、それだからといって、滑らかな顔の上の大きな微笑みの輝きが損なわれることは決してなかった。

無邪気な笑い声。周りのアカ族の子どもたちと、ちっとも変わらないな、とプーパーは思う。心の中で消し去ってしまうべき感情が再燃しそうになって、プーパーは頭を強く振り、冷静さを取り戻す。そして、この刺激的なお坊ちゃんの方へ歩みを進め、風に乗って大空を周回する凧を支え持つのを手伝う。

プーパーは、すらりと細い体の背中へ回り込み、手を伸ばして、鮮やかな凧に繋がっている苧麻の紐を掴む。そして体を少し後ろへ倒すようにする。

「綱引きをしたことはあるか？　相手が綱を自陣の方へ引いていったら、自分は背中を後ろに倒し、体重をかけて対抗しないといけない。凧もそれと同じだ。だが、凧は紐がたくさん引かれていってしまったら、自分はゆっくり力を緩めてそれに従わないといけない。引っ張り過ぎて、限界を超える抵抗力がかかると、紐が凧を引っ張り、切れてしまうこともある」

低く響く声が耳元で教える。それを聞いていると、心が不安定に鼓動する。さっき走ったのよりもっとくたびれてしまうくらいに……。

「子どもたちが凧を引いているのに、なぜ全然揚がらないか、分かったよ」

ティアンはあてこするように言い、恥じらいを消そうとする。

「僕の方がずっと脚は長いのに、犬みたいにはあはあ息を切らして走ったんだ。子どもたちの短い脚では、とても走れない」

「君の凧は彼らのより何倍も大きい。だから、力が多く必要なのは普通だ」

プーパーは様々な色の四角い凧を指さす。それらは、二人の斥候が手伝いながら一つまた一つと揚がっていた。

「簡単な形の凧は、走り回っていればそのうち勝手に揚がるんだ。見たか？」

ティアンは、後ろから自分の体へ手を回している人の方に目を走らせる。密着していると妙な気持ちになってきそうだ。

「あ……あなたも鬼の顔の凧を揚げに行っていいよ」

ティアンは遠回しに追い払おうとする。鬼軍人はよく理解したらしい。おとなしく腕を外した。

それから僅か数分、白いフグ凧は、世界に一つの最高の模様を乗せ、いとも簡単に空へ浮いた。しかも、持ち主はほんの数歩走っただけだ。それがまた、もう一人の誰かの癪に障る。

「さては、わざと僕が息切れするまで走らせたんだな。それは何だ。五メートルも走ってないのに、凧が揚がってるじゃないか」

ティアンは睨み、凧を操って敵の近くに飛ばした。

プーパーはその言い分を聞き、引っぱたきたい気になるが、無表情のまま平然と振り向く。

「これは個人のテクニックというものだ」

「ああ、そうだろうな。僕は都会人で、まだ若者だ。地方育ちのあなた世代の子どもとは、それは違うさ」

平たくいえば、相手が年寄りだということだが。

「私の齢がどうして分かるんだ」

「もし二十代初めと言ったら、僕は米の代わりに草を食う」

「なら、言わない」

が、口の減らない相手は、別に知りたくないというように顔をつんと上向けている。プーパーは口の端でにやりとし、傍の男に体を寄せるようにして囁いた。

「生姜は古ければ古いほど辛くて美味いという諺《ことわざ》を知っているか」

ティアンはさっと振り向き、頬が真っ赤になるほどの大声で叫ぶ。

「知ってるのは、古ければ萎れることくらいだ！」

そしてすぐに、凧を操って遠くへ離れてしまう。耳をじんじんさせながら立っている大男を一人取り残して。

子どもたちは、楽しげに凧を浮かべている。凧を壊してしまった子も友達と遊んでいた。パンダーオの崖の紺碧の空が色とりどりの手作り凧で鮮やかに飾られたのは初めてのことだ。誘われたかのように小型飛行機が白い雲間に現れ、からかうように浮き沈みを繰り返す。

「おっきな鳥！　飛行機！」

　山の子たちは新旧の単語を取り混ぜてめちゃくちゃに騒ぐ。そして興奮して飛行機を追いかけていく。

「遠くに行くなよ」

　先生は生徒たちに向かって叫ぶ。自分には、もう走って追いかける力は残っていない。ティアンは目を覆いながら空を見上げる。飛行機は、小さな凧の群れの中に重なるように浮かんでいた。高度が何千フィートも違うとはいえ、忘れがたい印象的なシーンを生み出していた。

「……あれは、軍の飛行機かい？」

　ティアンはプーパー隊長に尋ねる。ただ、戦闘機とは見かけが違っていたし、非常にゆっくり飛行しているのも不思議ではあった。

　隊長は小さく微笑む。目に温かな光が宿る。

「そうではない……。知りたければ、あと二、三時間もすれば分かるさ」

　もっと尋ねようとしたその時、子どもたちが皆で駆け戻ってきた。あのおっきな鳥は、もう崖を過ぎ去っていた。行列を作って学校に帰り着いたのはちょうど夕刻だった。ティアンは宿題として暗記する英単語を黒板に十単語書き、明日は筆記試験をすると告げた。そして生徒たちは皆、帰途についていった。

　ティアンは残った材料をまとめ、次回また使えるよう袋に入れた。それからくるりと振り返り、子どもたちが皆で作った凧の山を眺めた。千切れたり破けたりもしていたが、まだ良好な状態の凧もある。ティアンは、竹を編んだ壁でできた殺風景な教室をぐるりと見回す。よし、と心を決め、その場に胡座をかいた。紙を切り、たくさんの凧をそっと静かに修繕していく。

太陽の金色の光はすっかり弱まっていた。プーパー隊長は途中で別れ、集落へ行ってカマーのビアンレーおじさんと話をしていたのだが、再び学校に戻ってきた。どれだけ待ってもボランティア教師がちっとも家に帰ってこないので、心配になったのだった。

プーパーは教室の中に動く人影を見つけ、呼びかけようとした。が、その人がしていることを見た時、言葉を失った。

ティアンは机に上り、苧麻の紐を天井の竹の梁に通していた。子どもたちの作ったたくさんの凧、そして折り鶴に紙飛行機は小さく穴空けされ、天井や窓枠のありとあらゆる場所に吊されていた。風が吹き抜け、それらはモビールのように揺れ動いた。

プーパーは教室へ入っていき、近寄って声をかける。

「……これもアートというものか?」

ティアンは、こんな時間に隊長が来たことに驚いて眉を上げる。が、すぐにいつもの調子に戻り、よじ登っていた勉強机から飛び下りた。それから、外へ出て、大きな窓の外からその作品を眺める。

透明なすべすべの顔の上の笑みが歪む。なんて悲しい幸せなんだろう……。

「これは、僕の〝思い出〟というんだ」

たったそれだけの言葉だが、プーパーは逃れがたい現実を思い出す。彼はどうにか自分をしっかりさせようとするが、胸の中は完全に麻痺してしまっていた。

「それなら、もう一つ、いい思い出を見せてやろう」

プーパーは、そう言うなり、くるりと背を向けて先を歩き出した。振り返ろうともしないプーパーを、ティアンは訳が分からないまま走って追うしかない。


学校からほんのすぐ先の崖の端に、二人の青年の影が寄り添っている。強い風が湿った地面の匂いを吹き上げ、ティアンは鼻の先をこすりながら何度もくしゃみを我慢した。

「あそこを見るんだ」

プーパーが遥かな向こうの崖を指さす。遠いけれど、見えないほどではない。

高い場所からは、大地も天空もことごとくくっきりと見渡すことができた。空は闇に沈みかけているが、ある部分だけ、他と違ってぼんやりと曇っているところがあった。じっと見てみると、その場所だけに水の帳《とばり》がかかっているのだった。それはかつて見たこともない美しくも恐ろしい自然の奇跡だった。

「……雨が空の一部だけに降っているということ？」

隊長は首を僅かに横に振った。

「昼間、君は私に飛行機のことを訊いた」

「それがあそこの雨と何か?」

「あれは〝王様の雨〟を降らす飛行機だったんだ……。寒季になると北部の県では、異常な旱《かん》魃《ばつ》に見舞われる。森林が違法に伐採され過ぎたせいだ。国民の飲用水と生活用水を確保し、山火事を防止するために、国王様がこのプロジェクトを始められた」

話しながら、プーパーは一度も目を合わせなかった。

「私が君に言おうとしたのは、雨がたとえ空の一部だけだったとしても、国王様の御心の水は決して涸《か》れることはないということだ。もしも、この先、君がここを離れなければならない日が来るのだとすれば、私はこうした素晴らしい物語を覚えていてもらいたい」

この瞬間、ティアンはもう何ひとつ耳に入らなくなっていた。目の前にある彫りの深いその顔に惹きつけられ、それ以外、何も見えなくなった。厳然とした一対の瞳には自負に満ちた光が宿っている。それは息絶える日まで母国を護り続けるという勇気の力だ。彼は、一葉の写真を想起していた。トーファンがひそかに撮った、あの写真……。

それがティアンをこの地に立たせた最初の動機だった。

この地からずっと遠い、光に満ちた世界からやって来た青年は、確たる決意をするように息を深く吸い込んだ。もう、気にするのはやめよう。たとえ、自分とプーパー隊長との関係がこれからどのような道を辿るのだとしても。

近くでなくていい。ただ、これより遠く離れてしまうことがなければ、それでいい。
これから共に過ごす一分一秒がどれも素晴らしい一生の思い出となるように。

後注

1　マセラティは高性能のイタリア製高級車。デザインと自動車工学上に特色がある。タイ人に人気のモデルはグラントゥーリズモである。

2　心筋炎は、心臓の組織のうち、血液を身体の各組織へ送り出すための収縮をする重要な部分が炎症を起こす疾病である。主な症状として、組織や臓器の血液欠乏による呼吸困難、不整脈などがある。

3　ＩＣＵ（集中治療室）は、病院における特殊部門で、救命救急や重症患者のケアを行う。病院によっては、小児科ケア部門、乳幼児ケア部門、外科ケア部門、内科ケア部門、心臓病ケア部門など、専門分野ごとにケア部門が区分されている。

4　ブロークバック・マウンテンは、２００５年に制作された映画。男性同士の愛について描いている。

5　マスターベーションとは、自慰行為である。タイではこの行為を示すスラングに「凧揚げ」がある。

著：Bacteria《バクテリア》

血液型／O型。星座／山羊座。趣味／読書、執筆、旅行。

〈コメント〉
日本のファンの皆さん、はじめまして。
小説を気に入っていただけると嬉しいです。
どうぞ健康にお気をつけて、元気にお過ごしください。

訳：イーブン美奈子《みなこ》

1976年生まれ、早稲田大学第一文学部卒。タイ王国在住。
担当作品は『今昔秀歌百撰』文字文化協會（選者）、
日経ギャラリーアジアエディション「アジア映画再発見」（タイ担当）他。

〈コメント〉
チエンラーイの山は本当に美しいです。
機会があれば是非いらしてください。

A Tale of Thousand Stars《アテイルオブサウザンドスターズ》上

2021年6月10日　初版発行

著者／Bacteria《バクテリア》
訳者／イーブン美奈子《みなこ》
発行者／青柳昌行
発行／株式会社KADOKAWA
〒102-8177　東京都千代田区富士見2-13-3
電話 0570-002-301（ナビダイヤル）
装丁／東海創芸
企画協力／KADOKAWA AMARIN
編集企画／ボイスニュータイプ&ビジュアルブック編集部
印刷所／図書印刷株式会社
製本所／図書印刷株式会社

本書の無断複製（コピー、スキャン、デジタル化等）並びに
無断複製物の譲渡及び配信は、著作権法上での例外を除き禁じられています。
また、本書を代行業者などの第三者に依頼して複製する行為は、
たとえ個人や家庭内での利用であっても一切認められておりません。

●お問い合わせ
https://www.kadokawa.co.jp/（「お問い合わせ」へお進みください）
※内容によっては、お答えできない場合があります。
※サポートは日本国内のみとさせていただきます。
※Japanese text only

この物語はフィクションであり、実在の人物・団体名とは関係がございません。

定価はカバーに表示してあります。

"A Tale of Thousand Stars" by Bacteria
©Bacteria 2016
All rights reserved.
Original Thai edition published in 2016 by The Reading Room Co., Ltd.
Japanese translation rights arranged with The Reading Room Co., Ltd.
©Minako Yeeboon 2021
©GMMTVCOMPANYLIMITED All Rights Reserved.　Printed in Japan
ISBN978-4-04-110954-0　C0097

生粋の都会っ子・今倉一成が、親の都合で
引っ越した先はなんとド田舎。
しかし、そこで明らかに浮いている美少年、
伊田宏伸と出会う！
今倉は新たな性癖に目覚めてしまう……のか!?
田舎の美少年
右野マコ
話題の
美少年過保護
コメディー！
2021年7月9日
コミックス発売決定!!
大ボリューム
描きおろし
32p!!
ふたりの出会いの
前日譚を含む、4本の
描きおろし漫画を
収録★
怒り！
魚類《ぎょるい》に何《なに》が
わかる!!
執着！
髪《かみ》の
分《わ》け目《め》が
ちょっと
苦悩！
この美《うつく》しさを
俺《おれ》が独《ひと》り占《じ》め
していて
いいのだろうか……
美少年に対するクソでか感情が
止まらない……！
単行本コミックス／A5判／発行：株式会社KADOKAWA

TRYWORKS所属時に「カピバラさん」の
原案、制作、作画を担当したチダケイコがおくる

がんばらなくても
毎日ゆるはっぴーな犬

さちうすい犬の
しっぽふりり日記

コミックス&
プライズ商品
好評展開中

マンガ無料で配信中「コミックNewtype」で検索!

BLに胸キュン♥

世界中が恋に落ちた
「タイドラマ」の原作小説や
コミカライズをお届け！

「A Tale of Thousand Stars　上下巻」

著：Bacteria／訳：イーブン美奈子　発売中

タイ原作小説のイラスト使用&
ドラマスチールも豪華収録

新たな心臓を授かったボランティア教師と
優しく勇敢な軍人の切ないラブストーリー

Kado Thai BL

KADOKAWAのタイBL Twitter公式アカウント
「KADOKAWAタイBL公式」（@KadoThaiBL）では情報をいち早く掲載！

タイに恋して

「The Red Thread　上下巻」
著：Lazysheep／訳：南知沙／カバーイラスト：野ノ宮いと

2021年
6月25日
発売

赤い糸がひきよせる運命の恋——。

タイBLドラマの名作！『Until We Meet Again』の
原作小説　待望の日本語版が登場!!
さらに、コミカライズ（作画：晴山日々子）も電子版CIELにて連載中

\check/

小説　●「Manner of Death」著：Sammon／訳：南知沙／発売中

コミカライズ　●「Manner of Death」漫画：梅本ゆかり／原作：Sammon
電子書籍単話にて毎月30日配信中！

●「SOTUS」作画：慧／原作：BitterSweet
WEB雑誌「電子版CIEL」にて連載中。掲載1か月後に単話配信